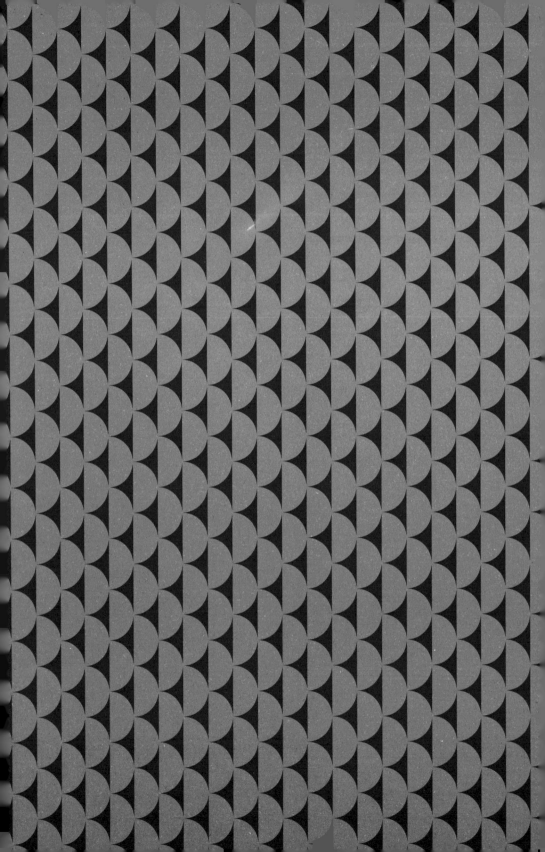

MÁRIO DE ANDRADE
E A SEMANA DE ARTE MODERNA

COPYRIGHT © FARO EDITORIAL, 2021
Todos os direitos reservados.
Nenhuma parte deste livro pode ser reproduzida sob quaisquer meios existentes sem autorização por escrito do editor.

Diretor editorial **PEDRO ALMEIDA**

Coordenação editorial **CARLA SACRATO**

Revisão **THAIS ENTRIEL E BÁRBARA PARENTE**

Capa e diagramação **OSMANE GARCIA FILHO**

Ilustração de capa **PLASTEED | SHUTTERSTOCK**

Imagens internas **PLASTEED, CASSETTE BLEUE | SHUTTERSTOCK**

Dados Internacionais de Catalogação na Publicação (CIP)
Angélica Ilacqua CRB-8/7057

Andrade, Mário de, 1893-1945
    Mário de Andrade e a semana de arte moderna / Mário de Andrade. — São Paulo : Faro Editorial, 2021.
    224 p.

    ISBN 978-65-5957-082-9

    1. Modernismo (Literatura) 2. Semana de Arte Moderna (1922 : São Paulo, SP) I. Título

21-3926   CDD 808.80112

Índice para catálogo sistemático:
1. Modernismo (Literatura)

1ª edição brasileira: 2021
Direitos de edição em língua portuguesa, para o Brasil, adquiridos por FARO EDITORIAL.

Avenida Andrômeda, 885 — Sala 310
Alphaville — Barueri — SP — Brasil
CEP: 06473-000
www.faroeditorial.com.br

SUMÁRIO

SEMANA DE ARTE MODERNA DE 1922   7
A EMOÇÃO ESTÉTICA NA ARTE MODERNA   15

PAULICEIA DESVAIRADA

APRESENTAÇÃO — PAULICEIA DESVAIRADA   25
PREFÁCIO INTERESSANTÍSSIMO   35
PAULICEIA DESVAIRADA   53
TRISTURA   61
AS ENFIBRATURAS DO IPIRANGA   75

AMAR, VERBO INTRANSITIVO

APRESENTAÇÃO — UM ROMANCE PARA REVOLUCIONAR A LINGUAGEM   91
AMAR, VERBO INTRANSITIVO   99
POSFÁCIO INÉDITO (S.D.)   211

UM POETA ARLEQUINAL —
MINIBIOGRAFIA DE MÁRIO DE ANDRADE   215

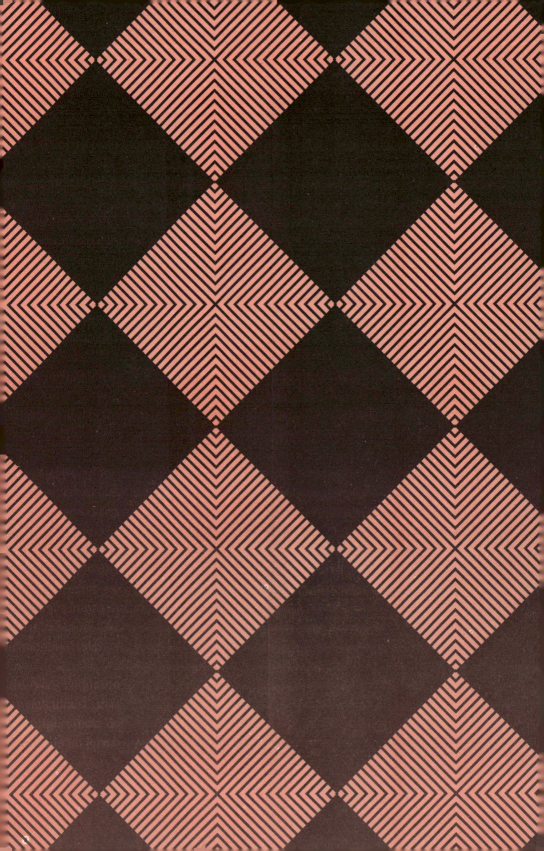

SEMANA DE ARTE MODERNA DE 1922

Por José Almeida Júnior

Antecedentes

O modernismo não surgiu na Semana de Arte Moderna de 1922. Alguns artistas já tinham apresentado manifestações das escolas vanguardistas europeias antes. Oswald de Andrade escrevia sobre as ideias modernizantes em *O Pirralho*. Poetas como Olavo Bilac e Raimundo Correia foram satirizados na revista. Manuel Bandeira havia publicado em 1919 o livro de poesia *Carnaval*, contendo, inclusive, o poema "Os sapos", com estética moderna e crítica ao parnasianismo.

A Exposição de Pintura Moderna Anita Malfatti, realizada em dezembro de 1917 em um salão pertencente ao conde de Lara, foi um marco para o modernismo. Foi a primeira vez que o termo "moderno" foi utilizado em um evento de arte no Brasil. Depois de estudar na Alemanha e nos Estados Unidos, Malfatti tinha retornado ao Brasil com influência da escola expressionista. A exposição de 1917 recebeu autoridades e artistas de São Paulo. Foram expostas 53 obras da pintora, dentre elas *O homem amarelo* e *Ventania*, que estariam na Semana de 1922.

A exposição sofreu críticas de Monteiro Lobato em texto publicado no jornal *O Estado de S. Paulo*. O autor de *Urupês* chamou a obra de Anita de arte caricatural. Lobato era adepto da arte naturalista e cultuava artistas como o pintor Almeida Júnior.

Anita Malfatti conheceu Mário de Andrade na exposição, que se apresentou como o poeta Mário Sobral, pseudônimo utilizado no seu livro de estreia: *Há uma gota de sangue em cada poema*. Mário presenteou a artista com um poema inspirado na tela *O homem amarelo*. Também compareceram ao evento Oswald de Andrade, Di Cavalcanti, Guilherme de Almeida e Tarsila do Amaral.

O Rio de Janeiro era uma capital cosmopolita, recebia pessoas do mundo inteiro, tinha a população duas vezes maior do que a de São Paulo, sediava a estrutura administrativa do país. Mesmo assim, a cidade não foi o berço do modernismo. Existem algumas hipóteses para isso. No início dos anos 1920, o Rio se ocupava com as comemorações do centenário da Independência do Brasil, com a grandiosa Exposição Internacional. Além do mais, a cidade sediava instituições que representavam o pensamento tradicional nas artes, como a Escola Nacional de Belas-Artes e a Academia Brasileira de Letras.

Por outro lado, São Paulo reunia uma turma de jovens artistas, sem compromisso com o cânone, ciosa por romper com a estética "passadista". A economia cafeeira e a crescente industrialização contribuíram para a formação de uma aristocracia paulista capaz de financiar as atividades artísticas.

Segundo Mário de Andrade, o grande responsável pela Semana de 1922 foi Paulo Prado. Fazendeiro, empresário e mecenas, Prado ficou encarregado de reunir a aristocracia paulista no Automóvel Clube para financiar o evento sobre arte moderna. Os patrocinadores se filiavam às artes "passadistas", um deles era o advogado Alfredo Pujol. Pujol tinha ficado conhecido no meio literário depois das conferências sobre a vida e a obra de Machado de Assis, sendo eleito membro da Academia Brasileira de Letras em 1917.

Mesmo não tendo nenhuma obra ligada ao modernismo, Graça Aranha foi indicado por Paulo Prado como líder do movimento. Membro fundador da ABL em 1897, embora não houvesse publicado um único livro à época, o autor de *Canaã* conferia ao evento o seu prestígio e a possibilidade de divulgação nacional, com a integração de artistas do Rio de Janeiro.

A Semana de Arte Moderna foi organizada em pouco mais de um mês. Di Cavalcanti ficou encarregado de desenhar o material de divulgação. Mário de Andrade, Di e Oswald foram responsáveis pela programação da Semana de 1922.

Às vésperas do evento, Oswald de Andrade publicou uma série de textos polêmicos, criticando artistas clássicos no *Jornal do Commercio*: "Carlos Gomes é horrível. Todos nós o sentimos desde pequeninos. Mas como se trata de uma glória da família, engolimos a cantarolice toda do *Guarani* e do *Schiavo*, inexpressiva, postiça, nefanda." Como substituto de Carlos Gomes, Oswald propunha Villa-Lobos: "Felizmente nós temos hoje a imprevista genialidade de Heitor Villa-Lobos."

Os textos publicados nos jornais paulistas ajudaram a divulgar o evento. *A Gazeta* anunciou o evento como Semana Futurista, em referência à escola de arte do italiano Felippo Tommaso Marinetti. Oswald de Andrade e Menotti Del Picchia costumavam se referir ao movimento da mesma forma. Mário rejeitava a denominação, preferia não se filiar a escola alguma: "Não sou futurista (de Marinetti). Disse e repito-o. Tenho pontos de contato com o futurismo. Oswald de Andrade, chamando-me de futurista, errou" (Prefácio de *Pauliceia desvairada*).

A Semana

A Semana de Arte Moderna aconteceria no Theatro Municipal, um local ligado à aristocracia paulista tradicional, nos dias 13, 15 e 17 de fevereiro de 1922: segunda, quarta e sexta. A primeira noite se dedicaria à pintura e à escultura, a segunda à literatura e a terceira à música.

No dia da abertura, o Theatro Municipal ficou cheio. O governador Washington Luís e o prefeito Firmino Pinto acompanhavam no camarote o ministro da Tchecoslováquia Jan Havlasa, que naquele período estava em viagem oficial na cidade de São Paulo. Na plateia, havia estudantes, jornalistas, fazendeiros, industriais, comerciantes.

Graça Aranha abriu o evento com a conferência "A emoção estética na arte moderna". O texto propunha um rompimento com o passado e pregava a liberdade do artista:

> A remodelação estética do Brasil iniciada na música de Villa-Lobos, na escultura de Brecheret, na pintura de Di Cavalcanti, Anita Malfatti, Vicente do Rego Monteiro, Zina Aita, e na jovem e ousada poesia, será a libertação da arte dos perigos que a ameaçam do inoportuno arcadismo, do academismo e do provincialismo.

Heitor Villa-Lobos se apresentou de casaca, sapato em um pé e chinelo no outro. Alguns achavam que se tratava de uma irreverência modernista. Depois Villa-Lobos revelou que o seu problema de gota havia impossibilitado que ele usasse um calçado condizente com a ocasião.

No segundo dia, dedicado à literatura, Menotti del Picchia deu início aos trabalhos com uma conferência. Primeiramente, rebateu críticas dizendo que o grupo vanguardista era ordeiro e pacífico. Negou que pertencessem ao futurismo de Marinetti, recusando vinculação com qualquer escola. O que unia os modernistas era a ideia geral de libertação:

> Queremos libertar a poesia do presídio canoro das fórmulas acadêmicas... Queremos exprimir nossa mais livre espontaneidade dentro da mais espontânea liberdade... Nada de postiço, meloso, artificial, arrevesado, precioso: queremos escrever com sangue — que é humanidade —, com eletricidade — que é movimento, expressão dinâmica do século —, violência — que é energia bandeirante. Assim nascerá uma Arte genuinamente brasileira, filha do céu e da terra, do Homem e do mistério.

Menotti Del Picchia apresentou Mário de Andrade como o maior poeta de São Paulo. Entre vaias e aplausos, um Mário de Andrade nervoso recitou os poemas "Inspiração", uma grande homenagem à cidade de São Paulo do ainda inédito *Pauliceia desvairada*:

> São Paulo! comoção de minha vida...
> Os meus amores são flores feitas de original!...

> Arlequinal!... Traje de losangos... Cinza e ouro...
> Luz e bruma... Forno e inverno morno...
> Elegâncias sutis sem escândalos, sem ciúmes...
> Perfumes de Paris... Arys!
> Bofetadas líricas no Trianon... Algodoal!...
>
> São Paulo! comoção de minha vida...
> Galicismo a berrar nos desertos da América!

A plateia gritou e vaiou quando Oswald de Andrade iniciou a sua conferência. Ele havia publicado textos provocativos na imprensa nos dias anteriores à Semana. Pessoas que estiveram presentes chegaram a dizer que as vaias eram combinadas para dar projeção ao evento. Oswald leu textos de *Os condenados*, romance inédito.

Manuel Bandeira não compareceu à Semana de 1922. No entanto, Ronald de Carvalho declamou "Os sapos". O poema se tornaria um dos símbolos da Semana de 1922, pela irreverência e crítica aos parnasianos:

> Em ronco que aterra,
> Berra o sapo-boi:
> — "Meu pai foi à guerra!"
> — "Não foi!" - "Foi!" - "Não foi!".
>
> O sapo-tanoeiro,
> Parnasiano aguado,
> Diz: - "Meu cancioneiro
> É bem martelado".

Nas escadarias do saguão do Theatro Municipal, Mário de Andrade leu trechos do que se tornaria o seu livro de ensaios *A escrava que não é Isaura*, publicado três anos depois. Na obra, Mário lançava ideias a respeito do pensamento modernista nas artes.

Heitor Villa-Lobos se apresentou nos três dias da Semana de Arte Moderna, sendo que a terceira noite foi dedicada exclusivamente à música. O músico chegou a tocar vinte peças, entre solos, trios, quartetos e sonatas.

Anita Malfatti expôs doze pinturas na entrada do Theatro Munici-pal, entre elas *O homem amarelo*, *A onda* e *A ventania*. Di Cavalcanti tam-bém disponibilizou as obras *Ao pé da cruz* e *Retrato*. Victor Brecheret estava em Paris, mas esculturas de sua autoria ficaram em exposição, como *Cabeça de Cristo*, que Mário de Andrade já havia comprado.

Reverberações da Semana de 1922

A Semana de Arte Moderna sofreu críticas nos jornais. Com o autor assi-nando apenas como Cândido, *A Gazeta* publicou uma série de artigos re-provando o que chamava de Semana Futurista. Publicado no *Jornal do Commercio* no dia 18 de fevereiro de 1922, o texto anônimo intitulado "Enterro de vivos" trata do evento com sarcasmo: "A Semana de Arte Moderna está para acabar. É uma pena! Porque, com franqueza, se, do ponto de vista artístico, aquilo representa o definitivo fracasso da escola futurista, como divertimento foi insuperável."

Lima Barreto publicou na revista *A Careta*, em 22 de julho de 1922, um texto combatendo o futurismo dos modernistas:

> São Paulo tem a virtude de descobrir o mel do pão em ninho de coruja. De quando em quando, ele nos manda umas novidades velhas de quarenta anos. Agora por intermédio do meu simpático amigo Sér-gio Buarque de Holanda, quer nos impingir como descoberta dele, São Paulo, o tal de "futurismo".

Perguntado sobre a impressão que lhe ficou do modernismo em en-trevista publicada na *Revista do Globo* no ano de 1948, Graciliano Ramos respondeu que foi muito ruim: "Sempre achei aquilo uma tapeação deso-nesta. Salvo raríssimas exceções, os modernistas brasileiros eram uns ca-botinos. Enquanto outros procuravam estudar alguma coisa, ver, sentir, eles importavam Marinetti."

Após a Semana de 1922, Mário de Andrade, Oswald, Guilherme de Almeida e outros apoiadores, fundaram a *Klaxon*, nome de uma buzina de automóvel, para reverberar as ideias do movimento. Sérgio Buarque de Holanda representou a revista no Rio de Janeiro.

Em junho de 1922, a pintora Tarsila do Amaral, que tinha acabado de retornar da Europa, juntou-se aos modernistas. Ela, Anita Malfatti, Mário, Oswald e Menotti Del Picchia formaram o chamado *Grupo dos Cinco*. Ainda casada, Tarsila começou a se envolver com Oswald. O grupo conviveu intensamente por seis meses. Em dezembro de 1922, Tarsila retornou para Europa. Oswald viajou em seguida para acompanhá-la. Em agosto de 1923, foi a vez de Malfatti embarcar para Paris.

Mário de Andrade nunca deixou o Brasil. Depois que Oswald publicou o texto "Miss Macunaíma" na *Revista de Antropofagia*, com insinuações a respeito da sexualidade do autor de *Pauliceia*, Mário rompeu definitivamente com o amigo.

A Semana de Arte Moderna de 1922 representou um relevante movimento no meio cultural brasileiro. Visando romper com o passado, trouxe ideias inovadora para todos os campos das artes. Nas artes plásticas, suplantou o naturalismo das obras que tentavam espelhar o real. Na literatura, aproximou a linguagem escrita da língua falada nas ruas, afastando-se do português castiço dos parnasianos.

Depois de quase cem anos, os efeitos da Semana de 1922 refletem no país até os dias atuais: em discussões como o uso da linguagem que foge ao padrão da norma culta no texto literário; a absorção de movimentos culturais do exterior no Brasil; a necessidade de formação de um patrimônio cultural genuinamente brasileiro. O ano de 1922 representou uma capacidade de transgressão que precisa ser constantemente renovada.

A EMOÇÃO ESTÉTICA NA ARTE MODERNA

Graça Aranha

Para muitos de vós a curiosa e sugestiva exposição que gloriosamente inauguramos hoje, é uma aglomeração de *horrores*. Aquele Gênio supliciado, aquele homem amarelo, aquele carnaval alucinante, aquela paisagem invertida, se não são jogos de fantasia de artistas zombeteiros, são seguramente desvairadas interpretações da natureza e da vida. Não está terminado o vosso espanto. Outros *horrores* vos esperam. Daqui a pouco, juntando-se a esta coleção de disparates, uma poesia liberta, uma música extravagante, mas transcendente, virão revoltar aqueles que reagem movidos pelas forças do Passado. Para estes retardatários, a arte ainda é o Belo.

Nenhum preconceito é mais perturbador à concepção da arte que o da Beleza. Os que imaginam o belo abstrato são sugestionados por convenções forjadoras de entidades e conceitos estéticos sobre os quais não pode haver uma noção exata e definitiva. Cada um que interrogue a si mesmo e responda: que é a beleza? Onde repousa o critério infalível do belo? A arte é independente deste preconceito. É outra maravilha que não é a beleza. É a realização da nossa integração no cosmos pelas emoções derivadas dos nossos sentidos, vagos e indefiníveis sentimentos que nos vêm das formas, dos sons, das cores, dos tatos, dos sabores e nos levam à unidade suprema com o Todo Universal. Por ela sentimos o universo, que a ciência decompõe e nos faz somente conhecer pelos seus fenômenos. Porque uma forma, uma linha, um som, uma cor nos comovem, nos exaltam e transportam ao universal? Eis o mistério da arte, insolúvel em todos os tempos, porque a arte é eterna e o homem é por excelência o animal artista. O sentimento religioso pode ser transmudado, mas o senso estético permanece inextinguível, como o Amor, seu irmão imortal. O Universo e os seus fragmentos são sempre designados por metáforas e analogias, que fazem imagens. Ora, esta função intrínseca do espírito humano mostra como a função estética, que é a de idear e imaginar, é essencial à nossa natureza.

A emoção geradora da arte ou a que esta nos transmite, é tanto mais funda, mais universal quanto mais artista for o homem, seu criador, seu intérprete ou espectador. Cada arte nos deve comover pelos seus meios diretos de expressão e por eles nos arrebatar ao Infinito.

A pintura nos exaltará, não pela anedota, que por acaso ela procure representar, mas principalmente pelos sentimentos vagos e inefáveis que nos vêm da forma e da cor.

Que importa que o homem amarelo ou a paisagem louca, ou o Gênio angustiado não sejam o que se chama convencionalmente reais? O que nos interessa é a emoção que nos vem daquelas cores intensas e surpreendentes, daquelas formas estranhas, inspiradoras de imagens e que nos traduzem o sentimento patético ou satírico do artista. Que nos importa que a música transcendente, que vamos ouvir não seja realizada segundo as fórmulas consagradas! O que nos interessa é a transfiguração de nós mesmos pela magia do som, que exprimirá a arte do músico divino. É na essência da arte que está a Arte. É no sentimento vago do Infinito que está a soberana emoção da artística derivada do som, da forma e da cor. Para o artista, a natureza é uma *fuga* perene do Tempo imaginário. Enquanto para os outros a natureza é fixa e eterna, para ele tudo passa e a Arte é a representação dessa transformação incessante. Transmitir por ela as vagas emoções absolutas vindas dos sentidos e realizar nesta emoção estética a unidade com o Todo, é a suprema alegria do espírito.

Se a Arte é inseparável do homem, se cada um de nós é um artista mesmo rudimentar, porque é um criador de imagens e formas subjetivas, a Arte nas suas manifestações recebe a influência da cultura do espírito humano.

Toda a manifestação estética é sempre precedida de um movimento de ideias gerais, de um impulso filosófico, e a Filosofia se faz Arte para tornar Vida. Na Antiguidade clássica, o surto da arquitetura e da escultura se deve não somente ao meio, ao tempo e à raça, mas principalmente à cultura matemática, que era exclusiva e determinou a ascendência dessas artes da linha e do volume. A própria pintura dessas épocas é um acentuado reflexo da escultura. No Renascimento, em seguida à perquirição analítica da alma humana, que foi a atividade predominante da Idade Média, o Humanismo inspirou a magnífica floração da pintura, que na figura humana procurou exprimir o mistério das almas. Foi depois da filosofia natural do século XVII que o movimento panteístico se estendeu à Arte e à Literatura e deu à Natureza a personificação que raia na poesia e na pintura da paisagem. Rodin não teria sido inovador, que foi na escultura, se não tivesse havido a precedência da biologia de Lamarck e Darwin. O homem de Rodin é o antropoide aperfeiçoado.

E eis chegado o grande enigma que é o de precisar as origens da sensibilidade na arte moderna. Este supremo movimento artístico se caracteriza pelo mais livre e fecundo subjetivismo. É uma resultante do extremado individualismo que vem vindo na vaga do tempo há quase dois séculos até se espraiar em nossa época, de que é feição avassaladora.

Desde Rousseau o indivíduo é a base da estrutura social. A sociedade é um ato da livre vontade humana. E por este conceito se marca a ascendência filosófica de Condillac e da sua escola. O individualismo freme na Revolução Francesa e mais tarde no romantismo e na revolução social de 1848, mas a sua libertação não é definitiva. Esta só veio quando o darwinismo triunfante desencadeou o espírito humano das suas pretendidas origens divinas e revelou o fundo da natureza e as suas tramas inexoráveis. O espírito do homem mergulhou neste insondável abismo e procurou a essência das coisas. O subjetivismo mais livre e desencantado germinou em tudo. Cada homem é um pensamento independente, cada artista exprimirá livremente, sem compromissos, a sua interpretação da vida, a emoção estética que lhe vem dos seus contatos com a natureza. É toda a magia interior do espírito que se traduz na poesia, na música e nas artes plásticas. Cada um se julga livre de revelar a natureza segundo o próprio sentimento libertado. Cada um é livre de crer e manifestar o seu sonho, a sua fantasia íntima desencadeada de toda a regra, de toda a sanção. O cânon e a lei são substituídos pela liberdade absoluta que nos revela, por entre mil extravagâncias, maravilhas que só a liberdade sabe gerar. Ninguém pode dizer com segurança onde o erro ou a loucura na arte, que é a expressão do estranho mundo subjetivo do homem. O nosso julgamento está subordinado aos nossos variáveis preconceitos. O gênio se manifestará livremente, e esta independência é uma magnífica fatalidade, e contra ela não prevalecerão as academias, as escolas, as arbitrárias regras do nefando bom gosto, e do infecundo bom senso. Temos que aceitar como uma força inexorável a arte libertada. A nossa atividade espiritual se limitará a sentir na arte moderna a essência da arte, aquelas emoções vagas transmitidas pelos sentidos e que levam o nosso espírito a se fundir no Todo infinito.

Este subjetivismo é tão livre, que pela vontade independente do artista se torna no mais desinteressado objetivismo, em que desaparece a determinação psicológica. Seria a pintura de Cézanne, a música de Stravinsky reagindo contra o lirismo psicológico de Debussy, procurando, como já se observou, manifestar a própria vida do objeto no mais rico dinamismo, que se passa nas coisas e na emoção do artista.

Esta talvez seja a acentuação da moda, porque nesta arte moderna também há a vaga da moda, que até certo ponto é uma privação da liberdade. A tirania da moda declara Debussy envelhecido e sorri do seu subjetivismo transcendente, a tirania da moda reclama a sensação forte e violenta da interpretação construtiva da natureza pondo-se em íntima correlação com a vida moderna na sua expressão mais real e desabusada. O intelectualismo é substituído pelo objetivismo direto, que, levado ao excesso, transbordará do cubismo no dadaísmo. Há uma espécie de jogo divertido e perigoso, e por isso sedutor, da arte que zomba da própria arte. Desta zombaria está impregnada a música moderna que na França se manifesta no sarcasmo de Eric Satie e que o grupo dos "seis" organiza em atitude. Nem sempre a fatura desse grupo é homogênea, porque cada um dos artistas obedece fatalmente aos impulsos misteriosos do seu próprio temperamento, e assim mais uma vez se confirma a característica da arte moderna que é a do mais livre subjetivismo.

É prodigioso como as qualidades fundamentais da raça persistem nos poetas e nos outros artistas. No Brasil, no fundo de toda a poesia, mesmo liberta, jaz aquela porção de tristeza, aquela nostalgia irremediável, que é o substrato do nosso lirismo. É verdade que há um esforço de libertação dessa melancolia racial, e a poesia se desforra na amargura do humorismo, que é uma expressão de desencantamento, um permanente sarcasmo contra o que é e não devia ser, quase uma arte de vencidos. Reclamemos contra essa arte imitativa e voluntária que dá ao nosso "modernismo" uma feição artificial. Louvemos aqueles poetas que se libertam pelos seus próprios meios e cuja força de ascensão lhes é intrínseca. Muitos deles se deixaram vencer pela morbidez nostálgica ou pela amargura da farsa, mas num certo instante o toque da revelação lhes chegou e ei-los livres, alegres, senhores da matéria universal que tornam em matéria poética.

Destes, libertados da tristeza, do lirismo e do formalismo, temos aqui uma plêiade. Basta que um deles cante, será uma poesia estranha, nova, alada e que se faz música para ser mais poesia. Nesta promissora noite ouvireis as derradeiras *imaginações*. Um é Guilherme de Almeida, o poeta de *Messidor* cujo lirismo se destila sutil e fresco de uma longínqua e vaga nostalgia de amor, de senhor e de esperança, e que, sorrindo, se evola da longa e doce tristeza para nos dar nas Canções Gregas a magia de uma poesia mais livre do que a Arte. O outro é o meu Ronald de Carvalho, o poeta da epopeia da *Luz Gloriosa* em que todo o dinamismo brasileiro se manifesta em uma fantasia de cores, de sons e de formas vivas e ardentes, maravilhoso jogo de sol que se torna poesia! A sua arte mais aérea agora, nos novos epigramas, não definha no frívolo virtuosismo que é o folguedo do artista. Ela vem da nossa alma, perdida no assombro do mundo, e é a vitória da cultura sobre o terror, e nos leva pela emoção de um verso, de uma imagem, de uma palavra, de um som à fusão do nosso ser no Todo infinito.

A remodelação estética do Brasil iniciada na música de Villa-Lobos, na escultura de Brecheret, na pintura de Di Cavalcanti, Anita Malfatti, Vicente do Rego Monteiro, Zina Aita, e na jovem e ousada poesia, será a libertação da arte dos perigos que a ameaçam do inoportuno arcadismo, do academismo e do provincialismo.

O regionalismo pode ser um material literário, mas não o fim de uma literatura nacional aspirando ao universal. O estilo clássico obedece a uma disciplina que paira sobre as coisas e não as possui.

Ora, tudo aquilo em que o Universo se fragmenta é nosso, são os mil aspectos do Todo, que a arte tem que recompor para lhes dar a unidade absoluta. Uma vibração íntima e intensa anima o artista neste mundo paradoxal que é o Universo brasileiro, e ela não se pode desenvolver nas formas rijas do arcadismo, que é o sarcófago do passado. Também o academismo é a morte pelo frio da arte e da literatura.

Ignoro como justificar a função social da Academia. O que se pode afirmar para condená-la é que ela suscita o estilo acadêmico, constrange a livre inspiração, refreia o jovem e árdego talento que deixa de ser independente para se vasar no molde da Academia. É um grande mal na renovação estética do Brasil e nenhum benefício trará à língua esse espírito acadêmico, que mata ao nascer a originalidade profunda e tumultuária da nossa floresta de vocábulos, frases e ideias. Ah! Se os novos escritores não pensassem na Academia, se eles por sua vez a matassem em suas almas, que descortino imenso para o magnífico surto do gênio, enfim liberto de mais esse terror. Esse *academismo* não é só dominante na literatura. Também se estende às artes plásticas e à música. Por ele tudo o que a nossa vida oferece de enorme, de esplêndido, de imortal, se torna medíocre e triste.

Onde a nossa grande pintura, a nossa escultura e a nossa música, que não devia esperar a magia da arte de Villa-Lobos para ser a mais sincera expressão do nosso espírito divagando no nosso fabuloso mundo tropical? E, no entanto, eis a paisagem brasileira. É construída como uma arquitetura, são planos, volumes, massas. A própria cor da terra é uma profundidade, os vastos horizontes absorvem o céu e dão a perspectiva do infinito. Como ela provoca a transposição pela arte, que lhe dê no máximo realismo a mais alta idealidade! Eis as nossas gentes. Saem das florestas ou do mar... São os filhos da terra, móveis, ágeis como os animais cheios de pavor, sempre em desafio do perigo, e, no impulso do sonho, alucinados pela imaginação, caminhando pela terra na ânsia de conhecer e possuir. Onde a arte que transfigurou genialmente essa perpétua mobilidade, essa progressão infinita da alma brasileira?

Da libertação do nosso espírito sairá a arte vitoriosa. E os primeiros anúncios da nossa esperança são os que oferecemos aqui à vossa curiosidade. São estas pinturas extravagantes, estas esculturas absurdas, esta música alucinada, esta poesia aérea e desarticulada. Maravilhosa aurora! Deve-se acentuar que, exceto na poesia, o que se fez antes disto na pintura e na música é inexistente. São pequenas e tímidas manifestações de um temperamento artístico apavorado pela dominação da natureza, ou são transplantações para o nosso mundo dinâmico de melodias mofinas e lânguidas, marcadas pelo metro acadêmico de outras gentes.

O que hoje fixamos não é a renascença de uma arte que não existe. É o próprio comovente nascimento da arte no Brasil, e como não temos, felizmente, a pérfida sombra do passado para matar a germinação, tudo promete uma admirável "florada" artística. E, libertos de todas as restrições, realizaremos na arte o Universo. A vida será, enfim, vivida na sua profunda realidade estética. O próprio amor é uma função da arte, porque realiza a unidade integral do Todo infinito pela magia das formas do ser amado. No universalismo da arte estão a sua força e a sua eternidade. Para sermos universais, façamos de todas as nossas sensações expressões estéticas, que nos levem à ansiada unidade cósmica. Que a arte seja fiel a si mesma, renuncie ao particular e faça cessar por instantes a dolorosa tragédia do espírito humano desvairado no grande exílio da separação do Todo, e no transporte pelos sentimentos vagos das formas, das cores, dos sons, dos tatos e dos sabores à nossa gloriosa fusão no Universo.

PAULICEIA DESVAIRADA

EDIÇÃO COMEMORATIVA DO CENTENÁRIO DA SEMANA DE 1922

APRESENTAÇÃO
PAULICEIA DESVAIRADA

José Almeida Júnior

Mário de Andrade iniciou na poesia com *Há uma gota de sangue em cada poema*, publicado em 1917, utilizando o pseudônimo Mário Sobral. O livro tinha como tema a Primeira Guerra Mundial, que o escritor havia acompanhado apenas pelos jornais. Muitos poemas usavam versos livres, mas estava longe da revolução que viria em 1922 com a publicação do seu livro de poesia modernista.

Mário deu início à escrita de *Pauliceia desvairada* em dezembro de 1920, trabalhando nos poemas até a publicação. Em texto publicado no *Jornal do Commercio* no mês de maio de 1921, Oswald de Andrade referiu-se a Mário como poeta futurista, embora tenha ocultado o nome do autor de *Pauliceia*, e reproduziu um trecho do poema "Tu".

Os originais de *Pauliceia desvairada* foram levados à editora de Monteiro Lobato, com a ajuda de Oswald. Lobato disse em carta a Mário de Andrade que não tinha compreendido o livro e pediu um prefácio. Mário escreveu o "Prefácio interessantíssimo", mas o autor de *Urupês* recusou a publicação, pois o livro era tão revolucionário que seria capaz de indignar a sua clientela e prejudicar as produções da sua editora, podendo levá-la à falência.

No segundo dia da Semana de Arte Moderna de 1922, Menotti Del Picchia apresentou Mário de Andrade como o maior poeta de São Paulo. Em meio a vaias e aplausos, Mário de Andrade leu os poemas "Inspiração" e "Domingo" do ainda inédito *Pauliceia desvairada*.

Pauliceia desvairada só seria publicada em julho de 1922 pela Casa Mayença.

Um prefácio interessantíssimo

Tendo ciência de que *Pauliceia desvairada* iria revolucionar a poesia brasileira, Mário de Andrade lançou as bases do seu pensamento em relação à arte moderna no "Prefácio interessantíssimo". O superlativo do título já indicava o humor e a ironia com que o escritor abordaria o tema: "este prefácio, apesar de interessante, inútil".

Logo na abertura, Mário declara: "Leitor: Está fundado o Desvairismo." O chamado desvairismo é uma forma sarcástica com que o escritor trata as escolas literárias de vanguarda, como futurismo, expressionismo, cubismo. A escola teria apenas um integrante, o próprio Mário de Andrade: "não quero discípulos".

O autor de *Pauliceia desvairada* rechaça os rótulos das escolas de arte do período: "em arte: escola = imbecilidade de muitos para vaidade dum só". Mário rebate o amigo Oswald que o chamou de poeta futurista: "Não sou futurista (de Marinetti). Disse e repito-o. Tenho pontos de contato com o futurismo. Oswald de Andrade, chamando-me de futurista, errou."

O que Mário de Andrade pretendia era liberdade: "minhas reivindicações? Liberdade. Uso dela; não abuso". Tanto não queria as amarras das escolas de arte que ele sentencia: "Está acabada a escola poética Desvairismo. Próximo livro fundarei outra."

Rompimento com o passado

Pauliceia desvairada mudou os paradigmas da poesia brasileira, com os seus versos livres e o uso da linguagem das ruas: "escrevo brasileiro", afirma Mário de Andrade no "Prefácio interessantíssimo". Segundo Manuel Bandeira, *Pauliceia desvairada* foi o primeiro livro integralmente moderno, todos os outros foram de transição.

Mário de Andrade dá vida à língua portuguesa com o uso de neologismos: "primaveral", "arlequinal", "bocejal", "sempres". As onomatopeias demonstram no texto a verve musical do escritor: "tralalá", "Pa, pa, pa, pum!", "ta, ra, ta, tchim!".

O movimento modernista brasileiro pretendia romper com o passado. Graça Aranha, depois de assumir a veste vanguardista, disse em sessão na ABL que a fundação da academia foi um erro. Mesmo sendo um dos membros fundadores da ABL, renunciou à sua cadeira.

Por representar a tradição e o academicismo, os modernistas puseram Machado de Assis no ostracismo. No texto publicado em *A Revista de Belo Horizonte* no ano de 1925, o jovem Carlos Drummond de Andrade escreveu:

> Que cada um de nós faça o íntimo e ignorado sacrifício de suas predileções, e queime silenciosamente os seus ídolos, quando perceber que estes ídolos e essas predileções são um entrave à obra de renovação da cultura geral. Amo tal escritor patrício do século XIX, pela magia irreprimível de seu estilo e pela genuína aristocracia de seu pensamento. Mas se considerar que este escritor é um desvio na orientação que deve seguir a mentalidade de meu país, para a qual um bom estilo é o mais vicioso dos dons, e a aristocracia um refinamento ainda impossível e indesejável, que devo fazer? A resposta é clara e reta: repudiá-lo. Chamemos este escritor pelo nome: é o grande Machado de Assis.

Mário de Andrade também repudiou Machado de Assis enquanto pessoa. Disse que tinha a maior admiração pela obra machadiana, mas não conseguia amá-lo. No entanto, Mário reconheceu a importância do autor de *Dom Casmurro*, como se pode ver no artigo publicado no jornal *Diário de Notícias* em 1939:

> Machado de Assis dominava magistralmente a "forma" do conto, não, porém, a sua "psicologia" mais essencial. E neste sentido nem será o nosso maior contista. E terá sido o nosso maior romancista? Absolutamente não. Não só, neste caso, lhe faltava a psicologia do romance como também a forma. Foi acaso o nosso maior poeta? Aqui então a própria pergunta é um absurdo. Mas há uma outra resposta mais verdadeira que dar a todas estas perguntas impertinentes. É que Machado de Assis, se não foi nosso maior romancista, nem nosso maior poeta, nem sequer maior contista, foi sempre, e ainda é, o nosso maior escritor.

Ao mesmo tempo em que pretendia se afastar do passado, Mário de Andrade reconhece a importância dos autores que o precederam, como revela no prefácio de *Pauliceia desvairada*: "Sou passadista, confesso. Ninguém pode se libertar duma só vez das teorias-avós que bebeu; e o autor deste livro seria hipócrita se pretendesse representar orientação moderna que ainda não compreende bem."

A Cidade de São Paulo

Pauliceia desvairada é um grande tributo a São Paulo, a começar pelo título. O livro abre com o poema "Inspiração", que apresenta a cidade como comoção da vida do poeta:

> São Paulo! comoção de minha vida...
> Os meus amores são flores feitas de original!...
> Arlequinal!... Trajes de losangos... Cinza e ouro...
> Luz e bruma... Forno e inverno morno...
> Elegâncias sutis sem escândalos, sem ciúmes...
> Perfumes de Paris... Arys!
> Bofetadas líricas no Trianon... Algodoal!..."

O Trianon era um clube frequentado pela aristocracia da cidade na avenida Paulista, onde hoje se localiza o MASP. Mário de Andrade também se refere ao local no poema em "As enfibraturas do Ipiranga". Além do clube, são cenários do poeta: o Viaduto do Chá, a rua de São Bento, o largo do Arouche, o rio Tietê, a avenida São João e Consolação. A cidade de São Paulo estava representada em *Pauliceia desvairada*.

A homenagem a São Paulo, porém, não é acrítica. O eu-lírico de Mário de Andrade atravessa as ruas da cidade, indicando um ambiente urbano em transformação, com os consequentes problemas sociais trazidos pelo progresso: "as sujidades implexas do urbanismo", nas palavras do escritor. O asfalto, representando a modernidade, está no mesmo verso do atraso estradas de chão: "Asfaltos. Vastos, altos repuxos de poeira" ("Domador").

A São Paulo dos anos 1920 tentava se modernizar, seguindo o padrão de metrópoles europeias. No poema "Paisagem nº 1", Mário de Andrade chama São Paulo de "minha Londres de neblinas finas". No entanto, a cidade convivia com as suas características rurais e a dependência econômica da cultura cafeicultora: "o largo coro de ouro das sacas de café!" ("Paisagem nº 4").

Os imigrantes que chegavam a São Paulo também são objeto da observação do poeta. No poema "Tu", Mário indica a profusão de nacionalidades em São Paulo: "Costureirinha de São Paulo, Ítalo-franco-luso-brasílico--saxônica". O poema "Domador", por sua vez, termina com um verso de um filho de imigrante "louramente" domando um automóvel:

> Mas... olhai, oh meus olhos saudosos dos ontens
> Esse espetáculo encantado da Avenida!
> Revivei, oh gaúchos Paulistas ancestremente!
> E oh cavalos de cólera sanguínea!
> Laranja da China, laranja da China, laranja da China!
> Abacate, cambucá e tangerina!
> Guardate! Aos aplausos do esfusiante clown.
> Heroico sucessor da raça heril dos bandeirantes,
> Passa galhardo um filho de imigrante,
> Louramente domando um automóvel!

Mário de Andrade passou grande parte de sua vida em São Paulo, deixando o local para morar no Rio de Janeiro entre 1938 e 1941. Além de *Pauliceia desvairada*, o seu primeiro livro modernista, o poeta dedicou uma de suas últimas obras à cidade, *Lira paulistana*. Mário tinha "orgulho máximo de ser paulistamente!!!" ("Paisagem nº 4").

Ódio à burguesia

A Semana de Arte Moderna de 1922 teve o apoio de Paulo Prado, filho de Antônio Prado, cafeicultor e empresário de São Paulo, e outros membros da elite paulista que costumava se reunir na sede do Automóvel Clube. Mesmo mantendo contato com a alta burguesia, Mário de Andrade não se esquivou de apresentar críticas à classe.

No poema "Domingo", Mário chama a atenção para a futilidade da família burguesa de São Paulo:

> Mornamente em gasolinas... Trinta e cinco contos!
> Tens dez milréis? Vamos ao corso...
> E filar cigarros a quinzena inteira...
> Ir ao corso é lei. Viste Marília?
> E Filis? Que vestido: pele só!
> Automóveis fechados... Figuras imóveis...
> O bocejo do luxo... Enterro.
> E também as famílias dominicais por atacado,
> entre os convenientes perenemente...
> — Futilidade, civilização.

No prefácio de *Pauliceia desvairada*, Mário de Andrade alerta: "quem não souber urrar não leia 'Ode ao Burguês'". "Ode ao burguês" urrado produz o som de "ódio ao burguês". O poema é um insulto declarado à burguesia e causou frisson à elite paulistana da época:

> Ódio e insulto! Ódio e raiva! Ódio e mais ódio!
> Morte ao burguês de giolhos.
> Cheirando religião e que não crê em Deus!
> Ódio vermelho! Ódio fecundo! Ódio cíclico!
> Ódio fundamento, sem perdão!
> Fora! Fu! Fora o bom burguês!...

Arlequinal

A palavra "arlequinal" se repete por nove vezes em *Pauliceia desvairada*. Mário de Andrade transforma o substantivo arlequim no adjetivo arlequinal para expressar o seu eu-lírico. Arlequim fazia parte da comédia popular italiana que remonta ao século XV. O personagem se ridicularizava para atingir a elite.

A roupa do arlequim, feita de retalhos em formato de losango, une o poeta à cidade, representando São Paulo como um mosaico de ruas, avenidas e pessoas: "Arlequinal!... Trajes de losangos... Cinza e ouro..." ("Inspiração"). A capa da primeira edição de *Pauliceia desvairada* foi elaborada com losangos coloridos, como se fossem trajes "arlequinais".

O poeta se apresenta na posição de desajustado na sociedade, como um arlequim, na cidade de São Paulo. No "Prefácio interessantíssimo", Mário de Andrade escreve: "Julguei mais conveniente apresentar-me como louco."

Pauliceia desvairada representa uma quebra de paradigma na literatura realizada por um escritor que se apresentava como um desajustado, mas que parecia muito ciente do seu papel. A relevância do livro está não apenas nos seus poemas, mas no prefácio que lançou as bases do seu pensamento a respeito da arte, sem vinculação a escolas vanguardistas da época. Mário de Andrade pretendia manifestar a sua poesia com liberdade e transformou *Pauliceia* em um símbolo de transgressão.

JOSÉ ALMEIDA JÚNIOR é escritor e defensor público. Autor de *O Homem que Odiava Machado de Assis*, publicado pela Faro Editorial, e *Última Hora*, romance vencedor do Prêmio Sesc de Literatura e finalista dos Prêmios Jabuti e São Paulo de Literatura.

A MÁRIO DE ANDRADE

Mestre querido.

Nas muitas horas breves que me fizestes ganhar
a vosso lado dizíeis da vossa confiança pela arte
livre e sincera... Não de mim, mas de vossa
experiência recebi a coragem da minha Verdade
e o orgulho do meu Ideal.
Permiti-me que ora vos oferte este livro que
de vós me veio. Prouvera Deus! nunca vos
perturbe a dúvida feroz de Adriano Sixte...
Mas não sei, Mestre, se me perdoareis a distância
mediada entre estes poemas e vossas altíssimas
lições... Recebei no vosso perdão o esforço
do escolhido por vós para único discípulo;
daquele que neste momento de martírio muito
a medo inda vos chama o seu Guia, o seu Mestre,
o seu Senhor.

Mário de Andrade
14 de dezembro de 1921
S. PAULO

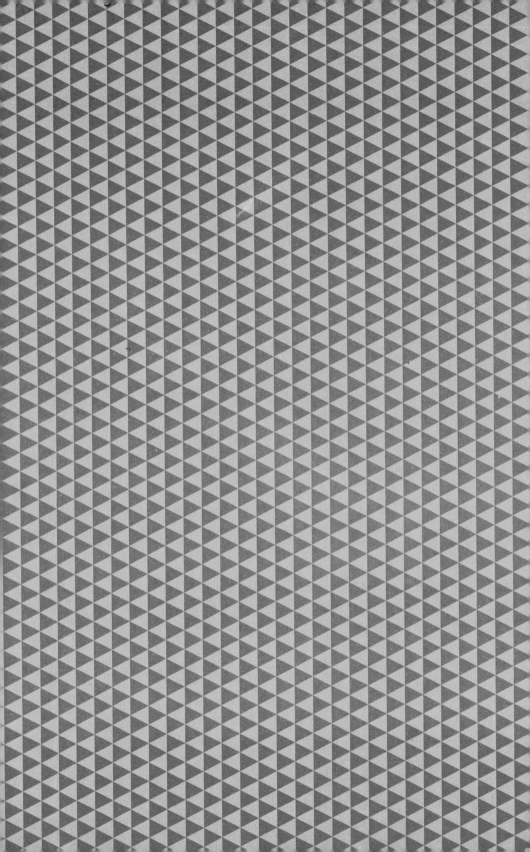

PREFÁCIO INTERESSANTÍSSIMO

"Dans mon pays de fiel et d'or j'en suis la loi"
E. Verhaeren

1   Leitor:
Está fundado o Desvairismo.

*

2   Este prefácio, apesar de interessante, inútil.

*

3   Alguns dados. Nem todos. Sem conclusões. Para quem me aceita são inúteis ambos. Os curiosos terão prazer em descobrir minhas conclusões, confrontando obra e dados. Para quem me rejeita trabalho perdido explicar o que, antes de ler, já não aceitou.

*

4 Quando sinto a impulsão lírica escrevo sem pensar tudo o que meu inconsciente me grita. Penso depois: não só para corrigir, como para justificar o que escrevi. Daí a razão deste Prefácio Interessantíssimo.

*

5 Aliás muito difícil nesta prosa saber onde termina a blague, onde principia a seriedade. Nem eu sei.

*

6 E desculpe-me por estar tão atrasado dos movimentos artísticos atuais. Sou passadista, confesso. Ninguém pode se libertar duma vez das teorias-avós que bebeu; e o autor deste livro seria hipócrita se pretendesse representar orientação moderna que ainda não compreende bem.

*

7 Livro evidentemente impressionista. Ora, segundo modernos, erro grave o Impressionismo. Os arquitetos fogem do gótico como da arte nova, filiando-se, para além dos tempos históricos, nos volumes elementares: cubo, esfera, etc. Os pintores desdenham Delacroix como Whistler, para se apoiarem na calma construtiva de Rafael, de Ingres, do Greco. Na escultura Rodin é ruim, os imaginários africanos são bons. Os músicos desprezam Debussy, genuflexos diante da polifonia catedralesca de Palestrina e João Sebastião Bach. A poesia... "tende a despojar o homem de todos os seus aspectos contingentes e efêmeros, para apanhar nele a humanidade"... Sou passadista, confesso.

*

8 "Este Alcorão nada mais é que uma embrulhada de sonhos confusos e incoerentes. Não é inspiração provinda de Deus, mas criada pelo autor. Maomé não é profeta, é um homem que faz versos. Que se apresente com algum sinal revelador do seu destino, como os antigos

profetas." Talvez digam de mim o que disseram do criador de Alá. Diferença cabal entre nós dois: Maomé apresentava-se como profeta; julguei mais conveniente apresentar-me como louco.

*

9 Você já leu São João Evangelista? Walt Whitman? Mailarmé? Verhaeren?

*

10 Perto de dez anos metrifiquei, rimei. Exemplo?

ARTISTA

O meu desejo é ser pintor — Lionardo,
cujo ideal em piedades se acrisola;
fazendo abrir-se ao mundo a ampla corola
do sonho ilustre que em meu peito guardo...

Meu anseio é, trazendo ao fundo pardo
da vida, a cor da veneziana escola,
dar tons de rosa e de ouro, por esmola,
a quanto houver de penedia ou cardo.

Quando encontrar o manancial das tintas
e os pincéis exaltados com que pintas,
Veronese! teus quadros e teus frisos,

irei morar onde as Desgraças moram;
e viverei de colorir sorrisos
nos lábios dos que imprecam ou que choram!

*

11 Os srs. Laurindo de Brito, Martins Fontes, Paulo Setúbal, embora não tenham evidentemente a envergadura de Vicente de Carvalho ou de Francisca Júlia, publicam seus versos. E fazem muito bem. Podia, como eles, publicar meus versos metrificados.

*

12 Não sou futurista (de Marinetti). Disse e repito-o. Tenho pontos de contato com o futurismo. Oswald de Andrade, chamando-me de futurista, errou. A culpa é minha. Sabia da existência do artigo e deixei que saísse. Tal foi o escândalo, que desejei a morte do mundo. Era vaidoso. Quis sair da obscuridade. Hoje tenho orgulho. Não me pesaria reentrar na obscuridade. Pensei que se discutiriam minhas ideias (que nem são minhas): discutiram minhas intenções. Já agora não me calo. Tanto ridicularizariam meu silêncio como esta grita. Andarei a vida de braços no ar, como o "Indiferente" de Watteau.

*

13 "Alguns leitores ao lerem estas frases (poesia citada) não compreenderam logo. Creio mesmo que é impossível compreender inteiramente à primeira leitura pensamentos assim esquematizados sem uma certa prática. Nem é nisso que um poeta pode queixar-se dos seus leitores. No que estes se tornam condenáveis é em não pensar que um autor que assina não escreve asnidades pelo simples prazer de experimentar tinta; e que, sob essa extravagância aparente havia um sentido porventura interessantíssimo, que havia qualquer coisa por compreender." João Epstein.

*

14 Há neste mundo um senhor chamado Zdislas Milner. Entretanto escreveu isto: "O fato duma obra se afastar de preceitos e regras aprendidas, não dá a medida do seu valor."
Perdoe-me dar algum valor a meu livro. Não há pai que, sendo pai, abandone o filho corcunda que se afoga; para salvar o lindo herdeiro

do vizinho. A ama de leite do conto foi uma grandíssima caboti-
na desnaturada.

*

15 Todo escritor acredita na valia do que escreve. Se mostra é por vaidade. Se não mostra é por vaidade também.

*

16 Não fujo do ridículo. Tenho companheiros ilustres.

*

17 O ridículo é muitas vezes subjetivo. Independe do maior ou menor
alvo de quem o sofre. Criamo-lo para vestir com ele quem fere nosso
orgulho, ignorância, esterilidade.

*

18 Um pouco de teoria? Acredito que o lirismo, nascido no subconsciente, acrisolado num pensamento claro ou confuso, cria frases
que são versos inteiros, sem prejuízo de medir tantas sílabas, com
acentuação determinada. Entroncamento é sueto para os condenados da prisão alexandrina. Há porém raro exemplo dele neste livro.
Uso de cachimbo...

*

19 A inspiração é fugaz, violenta. Qualquer empecilho a perturba e
mesmo emudece. Arte, que, somada a Lirismo, dá Poesia*, não consiste em prejudicar a doida carreira do estado lírico para avisá-lo das
pedras e cercas de arame do caminho. Deixe que tropece, caia e se

* Lirismo + Arte = Poesia, fórmula de P. Dermée.

fira. Arte é mondar mais tarde o poema de repetições fastientas, de sentimentalidades românticas, de pormenores inúteis ou inexpressivos.

*

20 Que Arte não seja porém limpar versos de exageros coloridos. Exagero: símbolo sempre novo da vida como do sonho. Por ele vida e sonho se irmanam. E, consciente, não é defeito, mas meio legítimo de expressão.

*

21 "O vento senta no ombro das tuas velas!" — Shakespeare. Homero já escrevera que a terra mugia debaixo dos pés de homens a cavalos. Mas você deve saber que há milhões de exageros na obra dos mestres.

*

22 Taine disse que o ideal dum artista consiste em "apresentar, mais que os próprios objetos, completa e claramente qualquer característica essencial e saliente deles, por meio de alterações sistemáticas das relações naturais entre as suas partes, de modo a tornar essa característica mais visível e dominadora". O sr. Luís Carlos, porém, reconheço que tem o direito de citar o mesmo em defesa das suas "Colunas".

*

23 Já raciocinou sobre o chamado "belo horrível"? É pena. O belo horrível é uma escapatória criada pela dimensão da orelha de certos filósofos para justificar a atração exercida, em todos os tempos, pelo feio sobre os artistas. Não me venham dizer que o artista, reproduzindo o feio, o horrível, faz obra bela. Chamar de belo o que é feio, horrível, só porque está expressado com grandeza, comoção, arte, é desvirtuar

ou desconhecer o conceito da beleza. Mas feio — pecado... Atrai. Anita Malfatti falava-me outro dia no encanto sempre novo do feio. Ora, Anita Malfatti ainda não leu Emílio Bayard: "O fim lógico dum quadro é ser agradável de ver. Todavia comprazem-se os artistas em exprimir o singular encanto da feiura. O artista sublima tudo."

*

24 Belo da arte: arbitrário, convencional, transitório — questão de moda. Belo da natureza: imutável, objetivo, natural — tem a eternidade que a natureza tiver. Arte não consegue reproduzir natureza, nem este é seu Fim. Todos os grandes artistas, ora consciente (Rafael das Madonas, Rodin do Balzac, Beethoven da Pastoral, Machado de Assis do Brás Cubas), ora inconscientemente (a grande maioria) foram deformadores da natureza. Donde infiro que o belo artístico será tanto mais artístico, tanto mais subjetivo quanto mais se afastar do belo natural. Outros infiram o que quiserem. Pouco me importa.

*

25 Nossos sentidos são frágeis. A percepção das coisas exteriores é fraca, prejudicada por mil véus, provenientes das nossas taras físicas e morais: doenças, preconceitos, indisposições, antipatias, ignorâncias, hereditariedade, circunstâncias de tempo, de lugar, etc... Só idealmente podemos conceber os objetos como os atos na sua inteireza bela ou feia. A arte que, mesmo tirando os seus temas do mundo objetivo, desenvolve-se em comparações afastadas, exageradas, sem exatidão aparente, ou indica os objetos, como um universal, sem delimitação qualificativa nenhuma, tem o poder de nos conduzir a essa idealização livre, musical. Esta idealização livre, subjetiva, permite criar todo um ambiente de realidades ideais onde sentimentos, seres e coisas, belezas e defeitos se apresentam na sua plenitude heroica, que ultrapassa a defeituosa percepção dos sentidos. Não sei que futurismo pode existir em quem quase perfilha a concepção estética de Fichte. Fujamos da natureza! Só assim a arte não se ressentirá da ridícula fraqueza da fotografia... colorida.

*

26 Não acho mais graça nenhuma nisso da gente submeter comoções a um leito de Procusto para que obtenham, em ritmo convencional, número convencional de sílabas. Já, primeiro livro, usei indiferentemente, sem obrigação de retorno periódico, os diversos metros pares. Agora liberto-me também desse preconceito. Adquiro outros. Razão para que me insultem?

*

27 Mas não desdenho baloiços dançarinos de redondilhas e decassílabos. Acontece a comoção caber neles. Entram pois às vezes no cabaré rítmico dos meus versos. Nesta questão de metros não sou aliado; sou como a Argentina: enriqueço-me.

*

28 Sobre a ordem? — Repugna-me, com efeito, o que Musset chamou: "L'art de servir à point un dénoument bien cuit."

*

29 Existe a ordem dos colegiais infantes que saem das escolas de mãos dadas, dois a dois. Existe uma ordem nos estudantes das escolas superiores que descem uma escada de quatro em quatro degraus, chocando-se lindamente. Existe uma ordem, inda mais alta, na fúria desencadeada dos elementos.

*

30 Quem leciona História do Brasil obedecerá a uma ordem que, certo, não consiste em estudar a guerra do Paraguai antes do ilustre acaso de Pedro Álvares. Quem canta seu subconsciente seguirá a ordem imprevista das comoções, das associações de imagens, dos contatos exteriores. Acontece que o tema às vezes descaminha.

*

31 O impulso clama dentro de nós como turba enfurecida. Seria engraçadíssimo que a esta se dissesse:
"Alto lá! Cada qual berre por sua vez; e quem tiver o argumento mais forte, guarde-o para o fim!" A turba é confusão aparente. Quem souber afastar-se idealmente dela, verá o imponente desenvolver-se dessa alma coletiva, falando a retórica exata das reivindicações.

*

32 Minhas reivindicações? Liberdade. Uso dela; não abuso. Sei embridá-la nas minhas verdades filosóficas e religiosas; porque verdades filosóficas, religiosas, não são convencionais como a Arte, são verdades. Tanto não abuso! Não pretendo obrigar ninguém a seguir-me. Costumo andar sozinho.

*

33 Virgílio, Homero, não usaram rima. Virgílio. Homero, têm assonâncias admiráveis.

*

34 A língua brasileira é das mais ricas e sonoras. E possui o admirabilíssimo "ão".

*

35 Marinetti foi grande quando redescobriu o poder sugestivo, associativo, simbólico, universal, musical da palavra em liberdade. Aliás: velha como Adão. Marinetti errou: fez dela sistema. É apenas auxiliar poderosíssimo. Uso palavras em liberdade. Sinto que o meu copo é grande demais para mim, e inda bebo no copo dos outros.

*

Sei construir teorias engenhosas. Quer ver? A poética está muito mais atrasada que a música. Esta abandonou, talvez mesmo antes do século VIII, o regime da melodia quando muito oitavada, para enriquecer-se com os infinitos recursos da harmonia. A poética, com rara exceção até meados do século XIX francês, foi essencialmente melódica. Chamo de verso melódico o mesmo que melodia musical: arabesco horizontal de vozes (sons) consecutivas, contendo pensamento inteligível. Ora, se em vez de unicamente usar versos melódicos horizontais: "Mnezarete, a divina, a pálida Phrynea comparece ante a austera e rígida assembleia do Areópago supremo..." fizermos que se sigam palavras sem ligação imediata entre si: estas palavras, pelo fato mesmo de se não seguirem intelectual, gramaticalmente, se sobrepõem umas às outras, para a nossa sensação, formando, não mais melodias, mas harmonias. Explico melhor:

Harmonia: combinação de sons simultâneos.

Exemplo:

"Arroubos... Lutas... Seta... Cantigas... Povoar!..."

Estas palavras não se ligam. Não formam enumeração. Cada uma é frase, período elíptico, reduzido ao mínimo telegráfico. Se pronuncio "Arroubos", como não faz parte de frase (melodia), a palavra chama a atenção para seu insulamento e fica vibrando, à espera duma frase que lhe faça adquirir significado e QUE NÃO VEM. "Lutas" não dá conclusão alguma a "Arroubos"; e, nas mesmas condições, não fazendo esquecer a primeira palavra, fica vibrando com ela. As outras vozes fazem o mesmo. Assim: em vez de melodia (frase gramatical) temos acorde arpejado, harmonia — o verso harmônico. Mas, se em vez de usar só palavras soltas, uso frases soltas: mesma sensação de superposição, não já de palavras (notas), mas de frases (melodias). Portanto: polifonia poética. Assim, em *Pauliceia Desvairada* usam-se o verso melódico: "São Paulo é um palco de bailados russos"; o verso harmônico: "A cainçalha... A Bolsa... As jogatinas..." e a polifonia poética (um, e às vezes dois, e mesmo mais versos consecutivos): "A engrenagem trepida... A bruma neva... Que tal? Não se esqueça, porém, de que outro virá destruir tudo isto que construí. Para ajuntar à teoria:

1ª

37 Os gênios poéticos do passado conseguiram dar maior interesse ao verso melódico, não só criando-o mais belo, como fazendo-o mais variado, mais comotivo, mais imprevisto. Alguns mesmo conseguiram formar harmonias, por vezes ricas. Harmonias porém inconscientes, esporádicas. Provo inconsciência: Victor Hugo, muita vez harmônico, exclamou depois de ouvir o quarteto do Rigoletto: "Façam que possa combinar simultaneamente várias frases e verão de que sou capaz." Encontro anedota em Galli, Estética Musical. Se non é vero...

2ª

38 Há certas figuras de retórica em que podemos ver embrião da harmonia oral, como na lição das sinfonias de Pitágoras encontramos germe da harmonia musical. Antítese — genuína dissonância. E se tão apreciada é justo porque poetas como músicos, sempre sentiram o grande encanto da dissonância, de que fala G. Migot.

3ª

39 Comentário à frase de Hugo. Harmonia oral não se realiza, como a musical, nos sentidos, porque palavras não se fundem como sons, antes baralham-se tornam-se incompreensíveis. A realização da harmonia poética efetua-se na inteligência. A compreensão das artes do tempo nunca é imediata, mas mediata. Na arte do tempo coordenamos atos de memória consecutivos, que assimilamos num todo final. Este todo, resultante de estados de consciência sucessivos, dá a compreensão final, completa da música, poesia, dança terminada. Victor Hugo errou querendo realizar objetivamente o que se realiza subjetivamente, dentro de nós.

4ª

40 Os psicólogos não admitirão a teoria... E responder-lhes com o "Só--quem-ama" de Bilac. Ou com os versos de Heine de que Bilac tirou o "Só-quem-ama". Entretanto: se você já teve por acaso na vida um acontecimento forte, imprevisto (já teve, naturalmente), recorde-se do tumulto desordenado das muitas ideias que nesse momento lhe tumultuaram o cérebro. Essas ideias, reduzidas ao mínimo telegráfico

da palavra, não se continuavam, porque não faziam parte de frase alguma, não tinham resposta, solução, continuidade. Vibravam, ressoavam, amontovam-se, sobrepunham-se. Sem ligação, sem concordância aparente — embora nascidas do mesmo acontecimento — formavam, pela sucessão rapidíssima, verdadeiras simultaneidades, verdadeiras harmonias acompanhando a melodia enérgica e larga do acontecimento.

5ª

Bilac, Tarde, é muitas vezes tentativa de harmonia poética. Daí, em parte ao menos, o estilo novo do livro. Descobriu, para a língua brasileira, a harmonia poética, antes dele empregada raramente (Gonçalves Dias, genialmente, na cena de luta, Y — Juca — Pirama). O defeito de Bilac foi não metodizar o invento; tirar dele todas as consequências. Explica-se historicamente seu defeito: Tarde é um apogeu. As decadências não vêm depois dos apogeus. O apogeu já é a decadência, porque sendo estagnação não pode conter em si um progresso, uma evolução ascensional. Bilac representa uma fase destrutiva da poesia; porque toda perfeição em arte significa destruição. Imagino o seu susto, leitor, lendo isto. Não tenho tempo para explicar: estude se quiser. O nosso primitivismo representa uma nova fase construtiva. A nós compete esquematizar metodizar as lições do passado. Volto ao poeta. Ele fez como os criadores do Organum medieval: aceitou harmonias de quartas e de quintas desprezando terceiras, sextas, todos os demais intervalos. O número das suas harmonias é muito restrito. Assim, "... o ar e o chão, a fauna e a flora, a erva e o pássaro, a pedra e o tronco, os ninhos e a hera, a água e o réptil, a folha e o inseto, a flor e a fera" dá impressão duma longa, monótona série de quintas medievais, fastidiosa, excessiva, inútil, incapaz de sugestionar o ouvinte e dar-lhe a sensação do crepúsculo na mata.*

---

* Há seis ou oito meses expus esta teoria aos meus amigos. Recebo agora, dezembro, números 11 e 12, da revista *Esprit Nouveau*. Aliás *Esprit Nouveau*: minhas andas neste Prefácio Interessantíssimo. Epstein, continuando estudo "O Fenômeno Literário", observa o harmonismo moderno, a que denomina simultaneísmo. Acho-o interessante, mas diz que é "utopia fisiológica". Epstein no mesmo erro de Hugo.

*

42 Lirismo: estado efetivo sublime — vizinho da sublime loucura. Preocupação de métrica e de rima prejudica a naturalidade livre do lirismo objetivado. Por isso poetas sinceros confessam nunca ter escrito seus melhores versos. Rostand, por exemplo: e, entre nós, mais ou menos, o sr. Amadeu Amaral. Tenho a felicidade de escrever meus melhores versos. Melhor do que isso, não posso fazer.

*

43 Ribot disse algures que inspiração é telegrama cifrado transmitido pela atividade inconsciente à atividade consciente que o traduz. Essa atividade consciente pode ser repartida entre poeta e leitor. Assim aquele que não escorcha e esmiuça friamente o momento lírico; e bondosamente concede ao leitor a glória de colaborar nos poemas.

*

44 "A linguagem admite a forma dubitativa que o mármore não admite". — Renan.

*

45 "Entre o artista plástico e o músico está o poeta, que se avizinha do artista plástico com a sua produção consciente, enquanto atinge as possibilidades do músico no fundo obscuro do inconsciente." — Wagner.

*

46 Você está reparando de que maneira costumo andar sozinho...

*

47 Dom Lirismo, ao desembarcar do Eldorado do Inconsciente no cais da terra do Consciente, é inspecionado pela visita médica, a Inteligência, que o alimpa dos macaquinhos e de toda e qualquer doença que possa espalhar confusão, obscuridade na terrinha progressista. Dom Lirismo sofre mais uma visita alfandegária, descoberta por Freud, que a denominou Censura. Sou contrabandista! E contrário à lei da vacina obrigatória.

*

48 Parece que sou todo instinto... Não é verdade. Há no meu livro, e não me desagrada, tendência pronunciadamente intelectualista. Que quer você? Consigo passar minhas sedas sem pagar direitos. Mas é psicologicamente impossível livrar-me das injeções e dos tônicos.

*

49 A gramática apareceu depois de organizadas as línguas. Acontece que meu inconsciente não sabe da existência de gramáticas, nem de línguas organizadas. E como Dom Lirismo é contrabandista...

*

50 Você perceberá com facilidade que, se na minha poesia, a gramática às vezes é desprezada, graves insultos não sofre neste prefácio interessantíssimo. Prefácio: rojão do meu eu superior. Versos: paisagem do meu eu profundo.

*

51 Pronomes? Escrevo brasileiro. Se uso ortografia portuguesa é porque, não alterando o resultado, dá-me uma ortografia.

*

52 Escrever arte moderna não significa jamais para mim representar a vida atual no que tem de exterior: automóveis, cinema, asfalto. Se estas palavras frequentam-me o livro não é porque pense com elas escrever moderno, mas porque sendo meu livro moderno, elas têm nele sua razão de ser.

*

53 Sei mais que pode ser moderno artista que se inspire na Grécia de Orfeu ou na Lusitânia de Nun'Álvares. Reconheço mais a existência de temas eternos, passíveis de afeiçoar pela modernidade: universo, pátria, amor e a presença-dos-ausentes, ex-gozo-amargo-de-infelizes.

*

54 Não quis também tentar primitivismo vesgo e insincero. Somos na realidade os primitivos duma era nova. Esteticamente: fui buscar entre as hipóteses feitas por psicólogos, naturalistas e críticos sobre os primitivos das eras passadas, expressão mais humana e livre de arte.

*

55 O passado é lição para se meditar, não para reproduzir. "E tu che sé costí, anima viva, Partiti da cotesti che son morti."

*

56 Por muitos anos procurei-me a mim mesmo. Achei. Agora não me digam que ando à procura de originalidade, porque já descobri onde ela estava, pertence-me, é minha.

*

57 Quando uma das poesias deste livro foi publicada, muita gente me disse: "Não entendi." Pessoas houve porém que confessaram: "Entendi, mas não senti."

Os meus amigos... percebi mais duma vez que sentiam, mas não entendiam. Evidentemente meu livro é bom.

*

58 Escritor de nome disse dos meus amigos e de mim que ou éramos gênios ou bestas. Acho que tem razão. Sentimos, tanto eu como meus amigos, o anseio do farol. Se fôssemos tão carneiros a ponto de termos escola coletiva, esta seria por certo o "Farolismo". Nosso desejo: alumiar. A extrema-esquerda em que nos colocamos não permite meio-termo. Se gênios: indicaremos o caminho a seguir; bestas: naufrágios por evitar.

*

59 Canto da minha maneira. Que me importa se me não entendem? Não tenho forças bastantes para me universalizar? Paciência. Com o vário alaúde que construí, me parto por essa selva selvagem da cidade. Como o homem primitivo cantarei a princípio só. Mas canto é agente simpático: faz renascer na alma dum outro predisposto ou apenas sinceramente curioso e livre, o mesmo estado lírico provocado em nós por alegrias, sofrimentos, ideais. Sempre hei de achar também algum, alguma que se embalarão à cadência libertária dos meus versos. Nesse momento: novo Anfião moreno e caixa-d'óculos, farei que as próprias pedras se reúnam em muralhas à magia do meu cantar. E dentro dessas muralhas esconderemos nossa tribo.

*

60 Minha mão escreveu a respeito deste livro que "não tinha e não tem nenhuma intenção de o publicar". *Jornal do Commercio*, 6 de junho. Leia a frase de Gourmont sobre contradição: 1º volume das *Promenades Littéraires*. Rui Barbosa tem sobre ela página lindíssima, não me recordo onde. Há umas palavras também em João Cocteau, *La Noce Massacrée*.

*

61 Mas todo este prefácio, com todo o disparate das teorias que contém, não vale coisíssima nenhuma. Quando escrevi *Pauliceia Desvairada* não pensei em nada disto. Garanto porém que chorei, que cantei, que ri, que berrei. Eu vivo!

*

62 Aliás versos não se escrevem para leitura de olhos mudos. Versos cantam-se, urram-se, choram-se. Quem não souber cantar não leia "Paisagem nº 1". Quem não souber urrar não leia "Ode ao Burguês". Quem não souber rezar, não leia "Religião". Desprezar: "A Escalada". Sofrer: "Colloque Sentimental". Perdoar: "a cantiga do berço", um dos solos de "Minha Loucura", das *Enfibraturas do Ipiranga*. Não continuo. Repugna-me dar a chave de meu livro. Quem for como eu tem essa chave.

*

63 E está acabada a escola poética "Desvairismo".

*

64 Próximo livro fundarei outra.

*

65 E não quero discípulos. Em arte: escola = imbecilidade de muitos para vaidade dum só.

*

66 Poderia ter citado Gorch Fock. Evitava o Prefácio Interessantíssimo. "Toda canção de liberdade vem do cárcere."

PAULICEIA DESVAIRADA

dezembro de 1920
a dezembro de 1921

INSPIRAÇÃO

"Onde até na força do verão havia
tempestades de ventos e frios de
crudelíssimo inverno"
Fr. Luís de Sousa

São Paulo! comoção de minha vida...
Os meus amores são flores feitas de original!...
Arlequinal!... Trajes de losangos... Cinza e ouro...
Luz e bruma... Forno e inverno morno...
Elegâncias sutis sem escândalos, sem ciúmes...
Perfumes de Paris... Arys!
Bofetadas líricas no Trianon... Algodoal!...

São Paulo! comoção de minha vida...
Galicismo a berrar nos desertos da América.

O TROVADOR

Sentimentos em mim do asperamente dos homens
das primeiras eras...
As primaveras de sarcasmo intermitentemente no meu coração
arlequinal...
Intermitentemente...
Outras vezes é um doente, um frio
na minha alma doente como um longo som redondo...
Cantabona! Cantabona!
Dlorom...

Sou um tupi tangendo um alaúde!

OS CORTEJOS

Monotonias das minhas retinas...
Serpentinas de entes frementes a se desenrolar...
Todos os sempres das minhas visões! "Bon giorno, caro."

Horríveis as cidades!
Vaidades e mais vaidades...
Nada de asas! Nada de poesia! Nada de alegria!
Oh! os tumultuários das ausências!
Pauliceia — a grande boca de mil dentes;
e os jorros dentre a língua trissulca
de pus e de mais pus de distinção...
Giram homens fracos, baixos, magros...
Serpentinas de entes frementes a se desenrolar...

Estes homens de São Paulo, todos iguais e desiguais,
quando vivem dentro dos meus olhos tão ricos,
parecem-me uns macacos, uns macacos.

A ESCALADA

(Maçonariamente.)
— Alcantilações!... Ladeiras sem conto!...
Estas cruzes, estas crucificações da honra!...
— Não há ponto final no morro das ambições.
As bebedeiras do vinho dos aplaudires...
Champanhações... Cospe os fardos!

(São Paulo é trono.) — E as imensidões das escadarias!...
Queres te assentar no píncaro mais alto? Catedral?...
— Estas cadeias da virtude!...
Tripinga-te! (Os empurrões dos braços em segredo.)
Principiarás escravo, irás a Chico-Rei!

(Há fita de série no Colombo,
O Empurrão na Escuridão. Film nacional.)
Adeus lírios de Cubatão para os que andam sozinhos!
Sono tré tustune per i ragazzini.)
— Estes mil quilos da crença!...
Tripinga-te. Alcançarás o sólio e o sol sonante!
Cospe os fardos! Cospe os fardos!
Vê que facilidade as tais asas?
(Toca a banda do Fieramosca: Pa, pa, pa, pum!
Toca a banda da polícia: ta, ra, ta, tchim!) És rei! Olha o rei nu!
Que é dos teus fardos, Hermes Pança?!

— Deixei-os lá nas margens das escadarias,
Onde nas violetas corria o rio dos olhos de minha mãe.
Sossega. És rico, és grandíssimo, és monarca!
Alguém agora t'os virá trazer.

(E ei-lo na curul do vesgo Olho-na-Treva.)

RUA DE SÃO BENTO

Triângulo.

Há navios de vela para os meus naufrágios!
E os cantares da uiara rua de São Bento...

Entre estas duas ondas plúmbeas de casas plúmbeas,
as minhas delícias das asfixias da alma!
Há leilão. Há feira de carnes brancas. Pobres arrozais!
Pobres brisas sem pelúcias lisas a alisar!
 A cainçalha... A Bolsa... As jogatinas...

Não tenho navios de vela para mais naufrágios!
Faltam-me as forças! Falta-me o ar!
Mas qual! Não há sequer um porto morto!
"Can you dance the tarantella" — "Ach! ya."
São as califómias duma vida milionária ·
numa cidade arlequinal...

O Clube Comercial... A Padaria Espiritual...
 Mas a desilusão dos sombrais amorosos
põe *majoration temporaire*, 100% nt!...
Minha Loucura, acalma-te!
Veste o *water-proof* dos tambéns!

Nem chegarás tão cedo
à fábrica de tecidos dos teus êxtases: telefone:
Além, 3991...
Entre estas duas ondas plúmbeas de casas plúmbeas,
vê, lá nos muito-ao-longes do horizonte,
a sua chaminé de céu azul!

O REBANHO

Oh! minhas alucinações!
Vi os deputados, chapéus altos,
Sob o pálio vesperal, feito de mangas-rosas,
Saírem de mãos dadas do Congresso...
Como um possesso num acesso em meus aplausos
Aos salvadores do meu estado amado!...

Desciam, inteligentes, de mãos dadas,
Entre o trepidar dos táxis vascolejantes,
A rua Marechal Deodoro...
Oh! minhas alucinações!
Como um possesso num aceso em meus aplausos
Aos heróis do meu estado amado!...

E as esperanças de ver tudo salvo!
Duas mil reformas, três projetos...
Emigram os futuros noturnos...
E verde, verde, verde!...
Oh! minhas alucinações!
Mas os deputados chapéus altos,
Mudavam-se pouco a pouco em cabras!
Crescem-lhes os cornos, descem-lhes barbinhas...
E vi os chapéus altos do meu estado amado,
Com os triângulos de madeira no pescoço,
Nos verdes esperança,
sob as franjas de ouro da tarde,
Se punham a pastar
Rente do Palácio do senhor presidente...
Oh! minhas alucinações!

TIETÊ

Era uma vez um rio...
Porém os Borbas-Gatos dos ultranacionais esperiamente!

Havia nas manhãs cheias de Sol do entusiasmo
as monções da ambição...
5   E as gigânteas vitórias!
As embarcações singravam rumo do abismal Descaminho...
Arroubos... Lutas... Setas... Cantigas... Povoar!
Ritmos de Brecheret!... E a santificação da morte!
Foram-se os ouros... E o hoje das turmalinas!...

10   Nadador! Vamos partir pela via dum Mato-Grosso?
— Io! Mai!... (Mais dez braçadas.
Quina Migone. Hat Stores. Meia de seda.)
Vado a pranzare con la Ruth.

PAISAGEM Nº 1

Minha Londres das neblinas finas...
Pleno verão. Os dez mil milhões de rosas paulistanas.
Há neves de perfumes no ar.
Faz frio, muito frio...
5   E a ironia das pernas das costureirinhas
Parecidas com bailarinas...
O vento é como uma navalha
Nas mãos dum espanhol. Arlequinal...
Há duas horas queimou Sol.
10   Daqui a duas horas queima Sol.

Passa um São Bobo, cantando, sob os plátanos,
Um tralalá... A guarda-cívica! Prisão!
Necessidade a prisão
Para que haja civilização?

15 Meu coração sente-se muito triste...
Enquanto o cinzento das ruas arrepiadas
Dialoga um lamento com o vento...

Meu coração sente-se muito alegre!
Este friozinho arrebitado
20 Dá uma vontade de sorrir!

E sigo. E vou sentindo,
À inquieta alacridade da invernia,
Como um gosto de lágrimas na boca...

ODE AO BURGUÊS

Eu insulto o burguês! O burguês-níquel,
O burguês-burguês!
A digestão bem feita de São Paulo!
O homem-curva! o homem-nádegas!
5 O homem que sendo francês, brasileiro, italiano,
É sempre um cauteloso pouco-a-pouco!

Eu insulto as aristocracias cautelosas!
Os barões lampeões! os condes Joões! os duques zurros!
Que vivem dentro de muros sem pulos;
10 E gemem sangues de alguns milréis fracos
Para dizerem que as filhas da senhora falam o francês
E tocam o *Printemps* com as unhas!

Eu insulto o burguês-funesto!
O indigesto feijão com toucinho, dono das tradições!
15 Fora os que algarismam os amanhãs!
Olha a vida dos nossos setembros!
Fará Sol? Choverá? Arlequinal!
Mas à chuva dos rosais
O êxtase fará sempre Sol!

20 Morte à gordura!
Morte às adiposidades cerebrais!
Morte ao burguês-mensal!
Ao burguês-cinema! ao burguês-tílburi!
Padaria Suíça! Morte viva ao Adriano!
25 "— Ai, filha, que te darei pelos teus anos?
— Um colar... — Conto e quinhentos!!!
Mas nós morremos de fome!"

Come! Come-te a ti mesmo, oh! gelatina pasma!
Oh! *purée* de batatas morais!
30 Oh! cabelos nas ventas! oh! carecas!
Ódio aos temperamentos regulares
Ódio aos relógios musculares! Morte e infâmia!
Ódio à soma! Ódio aos secos e molhados!
Ódio aos sem desfalecimentos nem arrependimentos,
35 Sempiternamente as mesmices convencionais!
De mãos nas costas! Marco eu o compasso! Eia!
Dois a dois! Primeira posição! Marcha!
Todos para a Central do meu rancor inebriante

Ódio e insulto! Ódio e raiva! Ódio e mais ódio!
40 Morte ao burguês de giolhos.
Cheirando religião e que não crê em Deus!
Ódio vermelho! Ódio fecundo! Ódio cíclico!
Ódio fundamento, sem perdão!

Fora! Fu! Fora o bom burguês!...

TRISTURA

"Une rose dans les ténèbres"
Mallarmé

Profundo. Imundo meu coração...
Olha o edifício: Matadouros da Continental.
Os vícios viciaram-me na bajulação sem sacrifícios...
Minha alma corcunda como a avenida São João...

5   E dizem que os polichinelos são alegres!
Eu nunca em guisos nos meus interiores arlequinais!...

Pauliceia, minha noiva... Há matrimônios assim...
Ninguém os assistirá nos jamais!

As permanências de ser um na febre!

10   Nunca nos encontramos...
Mas há *rendez-vous* na meia-noite do Armenonville...

E tivemos uma filha, uma só... Batismos do sr. cura Bruma;
água-benta das garoas monótonas...
15 Registrei-a no cartório da Consolação...
Chamei-a Solitude das Plebes...

Pobres cabelos cortados da nossa monja!

DOMINGO

Missas de chegar tarde, em rendas,
e dos olhares acrobáticos...
Tantos telégrafos sem fio!
Santa Cecília regurgita de corpos lavados
5 e de sacrilégios picturais...
Mas Jesus Cristo nos desertos,
mas o sacerdote no "Confiteor"... Contrastar!
— Futilidade, civilização...

Hoje quem joga?... O Paulistano.
10 Para o Jardim América das rosas e dos pontapés!
Friedenreich fez goal! Corner! Que juiz!
Gostar de Bianco? Adoro. Qual Bartô...
E o meu xará maravilhoso!...
— Futilidade, civilização...

15 Mornamente em gasolinas... Trinta e cinco contos!
Tens dez milréis? Vamos ao corso...
E filar cigarros a quinzena inteira...
Ir ao corso é lei. Viste Marília? E Filis? Que vestido: pele só!
20 Automóveis fechados... Figuras imóveis...
O bocejo do luxo... Enterro.
E também as famílias dominicais por atacado,
entre os convenientes perenemente...
— Futilidade, civilização.

25 Central. Drama de adultério.
    A Bertini arranca os cabelos e morre.
    Fugas... Tiros... Tom Mix!
    Amanhã fita alemã... de beiços...
    As meninas mordem os beiços pensando em fita alemã...
30 As romas de Petrônio...
    E o leito virginal... Tudo azul e branco!
    Descansar... Os anjos... Imaculado!
    As meninas sonham masculinidades...
    Futilidade, civilização.

O DOMADOR

    Alturas da Avenida. Bonde 3.
    Asfaltos. Vastos, altos repuxos de poeira
    Sob o arlequinal do céu ouro-rosa-verde...
    As sujidades implexas do urbanismo.
5   *Filets* de manuelino. Calvícies de Pensilvânia.

    Gritos de goticismo.
    Na frente o tram da irrigação,
    Onde um Sol bruxo se dispersa
    Num triunfo persa de esmeraldas, topázios e rubis...
10 Lânguidos boticellis a ler Henry Bordeaux
    Nas clausuras sem dragões dos torreões...

    Mário, paga os duzentos réis.
    São cinco no banco: um branco,
    Um noite, um ouro,
15 Um cinzento de tísica e Mário...
    Solicitudes! Solicitudes!

    Mas... olhai, oh meus olhos saudosos dos ontens
    Esse espetáculo encantado da Avenida!
    Revivei, oh gaúchos Paulistas ancestremente!

20 E oh cavalos de cólera sanguínea!
    Laranja da China, laranja da China, laranja da China!
    Abacate, cambucá e tangerina!
    Guardate! Aos aplausos do esfusiante clown.
    Heroico sucessor da raça heril dos bandeirantes,
25 Passa galhardo um filho de imigrante,
    Louramente domando um automóvel!

ANHANGABAÚ

Parques do Anhangabaú nos fogaréus da aurora...
Oh larguezas dos meus itinerários...
Estátuas de bronze nu correndo eternamente,
num parado desdém pelas velocidades...

5   O carvalho votivo escondido nos orgulhos
    do bicho de mármore parido no Salon...
    Prurido de estesias perfumando em rosais
    o esqueleto trêmulo do morcego...
    Nada de poesia, nada de alegrias!...

10 E o contraste boçal do lavrador
    que sem amor afia a foice...

Estes meus parques do Anhangabaú ou de Paris,
onde as tuas águas, onde as mágoas dos teus sapos?
"Meu pai foi rei!
15 — Foi. — Não foi. — Foi. — Não foi."
    Onde as tuas bananeiras?
    Onde o teu rio frio encanecido pelos nevoeiros,
    contando histórias aos sacis?...

Meu querido palimpsesto sem valor!
20 Crônica em mau latim
    cobrindo uma écloga que não seja de Virgílio!...

A CAÇADA

A bruma neva… Clamor de vitórias e dolos…
Monte São Bernardo sem cães para os alvíssimos!
Cataclismos de heroísmos… O vento gela…
Os cinismos plantando o estandarte;
5 enviando para todo o universo
novas cartas-de-Vaz-Caminha!..
Os Abéis quase todos muito ruins
a escalar, em lama, a glória…
Cospe os fardos!

10 Mas sobre a turba adejam os cartazes de *Papel e Tinta*
como grandes mariposas de sonho queimando-se na luz…

E o maxixe do crime puladinho
na eternização dos três dias… Tripudiares gaios!…
Roubar… Vencer… Viver os respeitosamente, no crepúsculo…
15 A velhice e a riqueza têm as mesmas cãs.
A engrenagem trepida… A bruma neva…
Uma síncope: a sereia da polícia
que vai prender um bêbedo no Piques…

Não há mais lugares no boa-vista triangular.
20 Formigueiro onde todos se mordem e devoram…
O vento gela… Fermentação de ódios egoísmos
para a caninha-do-Ó dos progredires…

Viva virgem vaga desamparada…
Malfadada! Em breve não será mais virgem
25 nem desamparada!
Terá o amparo de todos os desamparos!

Tossem: O Diário! A Platea…
Lívidos doze-anos por um tostão
Também quero ler o aniversário dos reis…

30 Honra ao mérito! Os virtusosos hão de sempre ser louvados
     e retratificados...
     Mais um crime na Mooca!
     Os jornais estampam as aparências
     dos grandes que fazem anos, dos criminosos que fazem danos...

35 Os quarenta-graus das riquezas! O vento gela...
     Abandonos! Ideais pálidos!
     Perdidos os poetas, os moços, os loucos!
     Nada de asas! nada de poesia! nada de alegria!
     A bruma neva... Arlequinal!
40 Mas viva o Ideal! *God save the poetry!*

     — Abade Liszt da minha filha monja,
     na Cadillac mansa e glauca da ilusão.
     passa o Oswald de Andrade
     mariscando gênios entre a multidão!...

Nota: A última imagem está numa crônica rutilante de Hélios. Não houve plágio. Hélios repetiu legitimamente a frase já ouvida, e então lugar-comum entre nós, para caracterizar deliciosa mania do Oswald.

NOTURNO

Luzes do Cambuci pelas noites de crime...
Calor!... E as nuvens baixas muito grossas,
Feitas de corpos de mariposas,
Rumorejando na epiderme das árvores...

5   Gingam os bondes como um fogo de artifício,
     Sapateando nos trilhos,
     Cuspindo um orifício na treva cor de cal...

     Num perfume de heliotrópios e de poças
     Gira uma flor-do-mal... Veio do Turquestã;

10   E traz olheiras que escurecem almas...
     Fundiu esterlinas entre as unhas roxas
     Nos oscilantes de Ribeirão Preto...

     — Batat' assat'ô furnn!...

     Luzes do Cambuci pelas noites de crime!...
15   Calor... E as nuvens baixas muito grossas,
     Feitas de corpos de mariposas,
     Rumorejando na epiderme das árvores...

     Um mulato cor de ouro,
     Com cabeleira feita de alianças polidas...
20   Violão. "Quando eu morrer..." Um cheiro pesado de baunilhas
     Oscila, tomba e rola no chão...
     Ondula no ar a nostalgia das Baías...

     E os bondes passam como um fogo de artifício,
     Sapateando nos trilhos,
25   Ferindo um orifício na treva cor de cal...

     — Batat' assat'ô furnn!...

     Calor!... Os diabos andam no ar
     Corpos de nuas carregando...
     As lassitudes dos sempres imprevistos!
30   E as almas acordando às mãos dos enlaçados!
     Idílios sob os plátanos!...
     E o ciúme universal às fanfarras gloriosas
     De saias cor-de-rosa e gravatas cor-de-rosa!...

     Balcões na cautela latejante, onde florem Iracemas
35   Para os encontros dos guerreiros brancos... Brancos?
     E que os cães latam nos jardins!
     Ninguém, ninguém, ninguém se importa!
     Todos embarcam na Alameda dos Beijos da Aventura!

Mas eu... Estas minhas grades em girândolas de jasmins,
40 Enquanto as travessas do Cambuci nos livres
Da liberdade dos lábios entreabertos!...
Arlequinal! Arlequinal!
As nuvens baixas muito grossas,
Feitas de corpos de mariposas,
45 Rumorejando na epiderme das árvores...
Mas sobre estas minhas grades em girândolas de jasmins,
O estelário delira em carnagens de luz,
E meu céu é todo um rojão de lágrimas!...

E os bondes riscam como um fogo de artifício,
50 Sapateando nos trilhos,
Jorrando um orifício na treva cor de cal...

— Batat' assat'ô furnn!...

PAISAGEM Nº 2

Escuridão dum meio-dia de invernia...
Marasmos... Estremeções... Brancos...
O céu é toda uma batalha convencional de *confetti* brancos;
e as onças pardas das montanhas no longe...
5 Oh! para além vivem as primaveras eternas!

As casas adormecidas
parecem teatrais gestos dum explorador do polo
que o gelo parou no frio...
Lá para as bandas da Ipiranga as oficinas tossem...
10 Todos os estiolados são muito brancos.
Os invernos de Pauliceia são como enterros de virgem...
Italianinha, toma al tuo paese!

Lembras-te? As barcarolas dos céus azuis nas águas verdes...
Verde — cor dos olhos dos loucos!

15 As cascatas das violetas para os lagos...
    Primaveral — cor dos olhos dos loucos!

    Deus recortou a alma de Pauliceia
    num cor de cinza sem odor...
    Oh! para além vivem as primaveras eternas!...

20 Mas os homens passam sonambulando...
    E rodando num bando nefário,
    vestidas de eletricidade e gasolina,
     as doenças jocotoam em redor.

    Grande função ao ar livre!
25 Bailado de Cocteau com os barulhadores de Russolo!
    Opus 1921

    São Paulo é um palco de bailados russos.
    Sarabandam a tísica, a ambição, as invejas, os crimes
    e também as apoteoses da ilusão...
30 Mas o Nijinsky sou eu!
    E vem a Morte, minha Karsavina!
    Quá, quá, quá! Vamos dançar o fox-trot da desesperança,
    a rir, a rir dos nossos desiguais!

TU

    Morrente chama esgalga,
    Mais morta inda no espírito!
    Espírito de fidalga,
    Que vive dum bocejo entre dois galanteios
5   E de longe em longe uma chávena da treva bem forte!

    Mulher mais longa
    Que os pasmos alucinados
    Das torres de São Bento!

Mulher feita de asfalto e de lamas de várzea,
10   Toda insultos nos olhos,
Toda convite nessa boca louca de rubores!

Costureirinha de São Paulo,
Ítalo-franco-luso-brasílico-saxônica,
Gosto dos seus crepusculares,
15   Crepusculares e por isso mais ardentes,
 Bandeirantemente!

Lady Macbeth feita de névoa fina,
Pura neblina da manhã!
Mulher que és minha madrasta e minha mãe!
20   Trituração ascencional dos meus sentidos!
Risco de aeroplano entre Mogi e Paris!
Pura neblina da manhã!

Gosto dos teus desejos de crime turco
E das tuas ambições retorcidas como roubos!
25   Amo-te de pesadelos taciturnos,
Materialização da Canaã do meu Poe...
Never more!

Emílio de Menezes insultou a memória do meu Poe...

Oh! Incendiária dos meus aléns sonoros!
30   Tu és o meu gato preto!
Tu me esmagaste nas paredes do meu sonho!
Este sonho medonho!

E serás sempre, morrente chama esgalga,
Meio fidalga, meio barregã,
As alucinações crucificantes
De todas as auroras do meu jardim!

PAISAGEM Nº 3

Chove?
Sorri uma garoa cor de cinza,
Muito triste, como um tristemente longo...
A casa Kosmos não tem impermeáveis em liquidação...
5   Mas neste largo do Arouche
Posso abrir meu guarda-chuva paradoxal,
Este lírico plátano de rendas mar...

Ali em frente... — Mário, põe a máscara!
— Tens razão, minha Loucura, tens razão.
10   O rei de Tule jogou a taça ao mar...

Os homens passam encharcados...
Os reflexos dos vultos curtos
Mancham o *petit-pavé*...
As rolas da Normal
15   Esvoaçam entre os dedos da garoa...
(E se pusesse um verso de Crisfal
No De Profundis?...)
De repente
Um raio de Sol arisco
20   Risca o chuvisco ao meio.

COLLOQUE SENTIMENTAL

Tenho os pés chagados nos espinhos das calçadas...
Higienópolis!... As Babilônias dos meus desejos baixos...
Casas nobres de estilo... Enriqueceres em tragédias...
Mas a noite é toda um véu de noiva ao luar!
5   A preamar dos brilhos das mansões...
O jazz-band da cor... O arco-íris dos perfumes...
O clamor dos cofres abarrotados de vidas...
Ombros nus, ombros nus, lábios pesados de adultério...

E o *rouge* — cogumelo das podridões...
10 Exércitos de casacas eruditamente bem talhadas...
Sem crimes, sem roubos o carnaval dos títulos...
Se não fosse o talco adeus sacos de farinha!
Impiedosamente...

Cavalheiro... — Sou conde! — Perdão.
15 Sabe que existe um Brás, um Bom Retiro?

Apre! respiro... Pensei que era pedido.
Só conheço Paris!

— Venha comigo então.
Esqueça um pouco os braços da vizinha...

20 Percebeu, hein! Dou-lhe gorjeta e cale-se.
O sultão tem dez mil... Mas eu sou conde!

— Vê? Estas paragens trevas de silêncio...
Nada de asas, nada de alegria... A Lua...

A rua toda nua... As casas sem luzes...
25 E a mirra dos martírios inconscientes...

— Deixe-me pôr o lenço no nariz.
Tenho todos os perfumes de Paris!

Mas olhe, embaixo das portas, a escorrer...
— Para os esgotos! Para os esgotos!

30 — ... a escorrer,
Um fio de lágrimas sem nome!...

RELIGIÃO

Deus! creio em Ti! Creio na tua Bíblia!

Não que a explicasse eu mesmo,
Porque a recebi das mãos dos que viveram as iluminações!

Catolicismo! sem pinturas de Calixto!... As humildades...
No poço das minhas erronias
vi que reluzia a Lua dos teus perdoares!...

Rio-me dos Luteros parasitais
e dos orgulhos soezes que não sabem ser orgulhosos da Verdade;

e os mações, que são pecados vivos,
e que nem sabem ser Pecado!

Oh! minhas culpas e meus tresvarios!
E as nobilitações dos meus arrependimentos
chovendo para a fecundação das Palestinas!
Confessar!...

Noturno em sangue do Jardim das Oliveiras!...

Naves de Santa Efigênia,
os meus joelhos criaram escudos de defesa contra vós!
Cantai como me arrastei por vós!
Dizei como me debrucei sobre vós!

Mas dos longínquos veio o Redentor!
E no poço sem fundo das minhas erronias
vi que reluzia a Lua dos seus perdoares!...

"Santa Maria, mãe de Deus..."
A minha mãe-da-terra é toda os meus entusiasmos;
dar-lhe-ia os meus dinheiros e minhas mãos também!
Santa Maria dos olhos verdes, verdes,

venho depositar aos vossos pés verdes
a coroa de luz da minha loucura!

Alcançai para mim
30   a Hospedaria dos Jamais Iluminados!

PAISAGEM Nº 4

Os caminhões rodando, as carroças rodando,
Rápidas as ruas se desenrolando,
Rumor surdo e rouco, estrépitos, estalidos...
E o largo coro de ouro das sacas de café!...

5   Na confluência o grito inglês da São Paulo Railway...
Mas as ventaneiras da desilusão! a baixa do café!...
As quebras, as ameaças, as audácias superfinas!...
Fogem os fazendeiros para o lar!... Cincinato Braga!...
Muito ao longe o Brasil com seus braços cruzados...
10   Oh! as indiferenças maternais!...

Os caminhões rodando, as carroças rodando,
Rápidas as ruas se desenrolando,
Rumor surdo e rouco, estrépitos, estalidos...
E o largo coro de ouro das sacas de café!...

15   Lutar!
A vitória de todos os sozinhos!...
As bandeiras e os clarins nos armazéns abarrotados...
Hostilizar!... Mas as ventaneiras dos largos cruzados!...

E a coroação com os próprios dedos!
20   Mutismos presidenciais, para trás!
Ponhamos os (Vitória!) colares de presas inimigas!
Enguirlandemo-nos de café-cereja!
Taratá! e o pean de escárnio para o mundo!

Oh! este orgulho máximo de ser paulistamente!!!

AS ENFIBRATURAS DO IPIRANGA

(Oratório profano)

O, woe is me
To have seen what I have seen, see what I see!
Shakespeare

Distribuição das vozes:

OS ORIENTALISMOS CONVENCIONAIS — (escritores e demais artífices elogiáveis) — Largo, imponente coro afinadíssimo de sopranos, contraltos, barítonos, baixos.

AS SENECTUDES TREMULINAS — (milionários e burgueses) — Coro de sopranistas.

OS SANDAPILÁRIOS INDIFERENTES — (operariado, gente pobre) — Barítonos e baixos.

AS JUVENILIDADES AURIVERDES — (nós) — Tenores, sempre tenores! Que o diga Walter von Stolzing!

MINHA LOUCURA — Soprano ligeiro. Solista.

Acompanhamento de orquestra e banda.

Local de execução: A esplanada do Teatro Municipal. Banda e orquestra colocadas no terrapleno que tomba sobre os jardins. São perto de cinos mui instrumentistas dirigidos por maestros... vindos do estrangeiro. Quando a solista canta há silêncio orquestral — salvo nos casos propositadamente mencionados. E, mesmo assim, os instrumentos que então ressoam, fazem-no a contragosto dos maestros. Nos coros dos ORIENTALISMOS CONVENCIONAIS a banda junta-se à orquestra. É um tutti formidando.

Quando cantam as JUVENILIDADES AURIVERDES (há naturalmente falta de ensaios) muitos instrumentos silenciam. Alguns desafinam. Outros partem as cordas. Só aguentam o rubato lancinante violinos, flautas, clarins, a bateria e mais borés e maracás.

OS ORIENTALISMOS CONVENCIONAIS estão nas janelas e terraços do Teatro Municipal. As SENECTUDES TREMULINAS disseminaram-se pelas sacadas do Automóvel Clube, da Prefeitura, da Rôtisserie, da Tipografia Weisflog, do Hotel Carlton e mesmo da Livraria Alves, ao longe. Os SANDAPILÁRIOS INDIFERENTES berram do Viaduto do Chá. Mas as JUVENILIDADES AURIVERDES estão embaixo, nos parques do Anhangabaú, com os pés enterrados no solo. MINHA LOUCURA no meio delas.

Na Aurora do Novo Dia
Prelúdio

As caixas anunciam a arraiada. Todos os 550.000 cantores concertam apressadamente as gargantas e tomam fôlego com exagero, enquanto os borés, as trompas, o órgão, cada timbre por sua vez, entre largos silêncios reflexivos, enunciam, sem desenvolvimento nem harmonização o tema: "Utilius est saepe et securius quos non habeat multas consolationes in hac vita."

E começa o oratório profano, que teve por nome
AS ENFIBRATURAS DO IPIRANGA.

AS JUVENILIDADES AURIVERDES

(pianíssimo)

Nós somos as Juvenilidades Auriverdes!
As franjadas flâmulas das bananeiras,
As esmeraldas das araras,
Os rubis dos colibris,
5 Os lirismos dos sabiás e das jandaias,
Os abacaxis, as mangas, os cajus
Almejam localizar-se triunfantemente,
Na fremente celebração do Universal!…
Nós somos as Juvenilidades Auriverdes!
10 As forças vivas do torrão natal,
As ignorâncias iluminadas,
Os novos sóis luscofuscolares
Entre os sublimes das dedicações!…
Todos para a fraterna música do Universal!
15 Nós somos as Juvenilidades Auriverdes!

OS SANDAPILÁRIOS INDIFERENTES

(num estampido preto)

Vá de rumor! Vá de rumor!
Esta gente não nos deixa mais dormir!
Antes "E lucevan le stelle" de Puccini!
Oh! pé de anjo, pé de anjo!
20 Fora! Fora o que é de despertar!

(A orquestra num crescendo cromático de contrabaixos anuncia…)

OS ORIENTALISMOS CONVENCIONAIS

Somos os Orientalismos Convencionais!
Os alicerces não devem cair mais!
Nada de subidas ou de verticais!
Amamos as chatezas horizontais!
25 Abatemos perobas de ramos desiguais!
Odiamos as matinadas arlequinais!
Viva a Limpeza Pública e os hábitos morais!
Somos os Orientalismos Convencionais!

Deve haver Von Iherings para todos os tatus!
30 Deve haver Vitais Brasis para os urutus!
Mesmo peso de feijão em todos os tutus!
Só é nobre o passo dos jaburus!
Há estilos consagrados para Pacaembus!
35 Que os nossos antepassados foram homens de truz!
Não lhe bastam velas? Para que mais luz!

Temos nossos coros só no tom de dó!
Para os desafinados, doutrina de cipó!
Usamos capas de seda, é só escovar o pó!
Diariamente à mesa temos mocotó!
40 Per omnia saecula saeculorum moinhos terão mó!
Anualmente de sobrecasaca, não de paletó,
Vamos visitar o esqueleto de nossa grande avó!
Glória aos iguais! Um é todos! Todos são um só!
Somos os Orientalismos Convencionais!

AS JUVENILIDADES AURIVERDES

(perturbadas com o fabordão,
recomeçam mais alto, incertas)

45 Magia das alvoradas entre magnólias e rosas...
Apelos do estelário visível aos alguéns...
— Pão de ícaros sobre a toalha extática do azul!
Os tuins esperanças das nossas ilusões!
Suaviloquências entre as deliquescências
50 Dos sáfaros, aos raios do maior solar!...
Sobracemos as muralhas! Investe com os cardos!
Rasga-te nos acúleos! Tomba sobre o chão!
Hão de vir valquírias para os olhos-fechados!
Anda! Não pares nunca! Aliena o duvidar
55 E as vacilações perpetuamente!

AS SENECTUDES TREMULINAS

(tempo de minuete)

Quem são estes homens?
Maiores menores
Como é bom ser rico!
Maiores menores.
Das nossas poltronas
Maiores menores
Olhamos as estátuas
Maiores menores
Do signor Ximenes
65 — O grande escultor

Só admiramos os célebres
E os recomendados também!
Quem tem galeria
Terá um Bouguereau!
70 Assinar o Lírico?

Elegância de preceito!
Mas que paulificância
Maiores menores
75 O *Tristão e Isolda*
Maiores menores

Preferimos os coros
Dos Orientalis —
mos Convencionais!
Depois os sanchismos
80 (Ai! gentes, que bom!)
Da alta madrugada
No largo do Paissandu!

Alargar as ruas... E as instituições?
85 Não pode! Não pode!
Maiores menores
Mas não há quem diga
Maiores menores
Quem são esses homens
90 Que cantam do chão?

**(a orquestra súbito emudece, depois
duma grande gargalhada de Timbales)**

MINHA LOUCURA

(recitativo e balada)

Dramas da luz do luar no segredo das frestas
Perquirindo as escuridões...
A traição das mordaças!
E a paixão oriental dissolvida no mel!...

95 Estas marés da espuma branca
E a onipotência intransponível dos rochedos!
Intransponivelmente! Oh!...

A minha voz tem dedos muito claros
Que vão roçar nos lábios do Senhor;
100 Mas as minhas tranças muito negras
Emaranharam-se nas raízes do jacarandá...

Os cérebros das cascatas marulhantes
E o benefício das manhãs serenas do Brasil!

(grandes glissandos de harpa)

Estas nuvens da tempestade branca
105 E os telhados que não deixam a chuva batizar!
Propositadamente! Oh!...
Os meus olhos têm beijos muito verdes
Que vão cair às plantas do Senhor;
Mas as minhas mãos muito frágeis
110 Apoiaram-se nas faldas do Cubatão.

Os cérebros das cascatas marulhantes
E o benefício das manhãs solenes do Brasil

(notas longas de trompas)

Estas espigas da colheita branca
E os escalrachos roubando a uberdade!
115 Enredadamente! Oh!...
Os meus joelhos têm quedas muito crentes
Que vão bater no peito do Senhor;
Mas os meus suspiros muito louros
Entreteceram-se com a rama dos cafezais...

120 Os cérebros das cascatas marulhantes
E o benefício das manhãs gloriosas do Brasil!

(harpas, trompas, órgão)

AS SENECTUDES TREMULINAS

(iniciando uma gavota)

Quem é essa mulher!
É louca, mas louca
Pois anda no chão!

AS JUVENILIDADES AURIVERDES

(num crescendo fantástico)

125 Ódios, invejas, infelicidades!...
Crenças sem Deus! Patriotismos diplomáticos!
Cegar!
Desvalorização das lágrimas lustrais!
Nós não queremos mascaradas! E ainda menos
130 Cordões "Flor-do-abacate" das superfluidades!
Os tumultos da luz!... As lições dos maiores!...
E a integralização da vida no Universal!
As estradas correndo todas para o mesmo final!...
E a pátria simples, una, intangivelmente
135 Partindo para a celebração do Universal!
Ventem nossos desvarios fervorosos!
Fulgurem nossos pensamentos dadivosos!
Clangorem nossas palavras proféticas
Na grande profecia virginal!
140 Somos as Juvenilidades Auriverdes!
A passiflora! o espanto! a loucura! o desejo!
Cravos! mais cravos para nossa cruz!

OS ORIENTALISMOS CONVENCIONAIS

(Tutti. O crescendo é resolvido numa solene marcha fúnebre)

Para que escravos? Para que cruzes?
Submetei-vos à metrificação!
145 A verdadeira luz está nas corporações!
Aos maiores: serrote; aos menores: o salto...
E a glorificação das nossas ovações!

AS JUVENILÍDADES AURIVERDES

(num clamor)

Somos as Juvenilidades Auriverdes!
A passiflora! o espanto! a loucura! o desejo!
150 Cravos! mais cravos para nossa cruz!

OS ORIENTALISMOS CONVENCIONAIS

(a tempo)

Para que cravos? Para que cruzes?
Submetei-vos à poda!
Para que as artes vivam e revivam
Use-se o regime do quartel!
155 É a riqueza! O nosso anel de matrimônio!
E as fecundidades regulares, refletidas...
E os perenementes da ligação mensal...

AS SENECTUDES TREMULINAS

(aos miados de flautim impotente)

Bravíssimo! Bem dito! Sai azar!
Os perenementes da ligação anual!

AS JUVENILIDADES AURIVERDES

(berrando)

160 Somos as Juvenilidades Auriverdes!
A passiflora! o espanto! a loucura! o desejo!
Cravos! mais cravos para nossa cruz!

OS ORIENTALISMOS CONVENCIONAIS

(da capo)

Para que cravos? Para que cruzes?
Universalizai-vos no senso comum!
165 Senti sentimentos de vossos pais e avós!
Para as almas sempre torresmos cerebrais!
E a sesta na rede pelos meios-dias!
Acordar às seis; deitar às vinte e meia;
E o banho semanal com sabão de cinza,
170 Limpando da terra, calmando das erupções...
E a dignificação bocejal do mundo sem estações!...
Primavera, inverno, verão, outono...
Para que estações?

AS JUVENILIDADES AURIVERDES

(já vociferantes)

Cães! Piores que cães!
175 Somos as Juvenilidades Auriverdes!
Vós, burros! malditos! cães! piores que cães!

OS ORIENTALISMOS CONVENCIONAIS

(sempre marcha fúnebre, cada vez mais forte porém)

Para que burros? Para que cães?
Produtividades regulares. Vivam as maleitas!
Intermitências de polegadas certas!
180 Nas arquiteturas renascença gálica;
Na música Verdi; na escultura Fídias;
Corot na pintura; nos versos Leconte;
Na prosa Macedo, D'Annunzio e Bourget!
E na vida enfim, eternamente eterna,
185 Concertos de meia à luz do lampião,
Valsas de Godard no piano alemão,
Marido, mulher, as filhas, o noivo...

AS JUVENILIDADES AURIVERDES

(numa grita descompassada)

Malditos! Boçais! Cães! Piores que cães!
Somos as Juvenilidades Auriverdes!
190 A passiflora!... Vós, malditos! boçais!

OS ORIENTALISMOS CONVENCIONAIS

(fff)

... O corso aos domingos, o chá no Trianon ...
E as......... cidades, as........... cidades,
as......... cidades, as........... cidades,
e mil......... cidades...*

* Aqui o leitor, se for partidário dos ORIENTALISMOS, porá nomes de escritores paulistas que aprecia e das JUVENILIDADES, os que detesta. Exemplo com meu próprio nome: E as mariocidades. Não existe esse sufixo: quero assim bater melhor o ritmo.

AS JUVENILIDADES AURIVERDES

(ffff)

195 Seus borras! Seus bêbedos! Infames! Malditos!
A passiflora! o espanto! a loucura! o d...

OS ORIENTALISMOS CONVENCIONAIS

(fffff)

... e as perpetuidades
Das celebridades das nossas vaidades;
Das antiguidades às atualidades,
Ao fim das idades sem desigualdades
200 Quem há-de...

AS JUVENILIDADES AURIVERDES

(loucos, sublimes, tombando
exaustos)

Seus...!!!
(A maior palavra feia que o leitor conhecer)
Nós somos as Juvenilidades Auriverdes!
A passiflora! o espanto!... a loucura! o desejo!...
Cravos!... Mais cravos... para... a nossa...

Silêncio. Os ORIENTALISMOS CONVENCIONAIS, bem como as SENECTUDES TREMULINAS e os SANDAPILÁRIOS INDIFERENTES fugiram e se esconderam, tapando os ouvidos à grande, à máxima Verdade. A orquestra evaporou-se, espavorida. Os *maestri* sucumbiram. Caiu a noite, aliás; e na solidão da noite das mil estrelas as JUVENILIDADES AURIVERDES, tombadas no solo, chorando, chorando o arrependimento do tresvario final.

MINHA LOUCURA

(suavemente entoa a cantiga de adormentar)

205 Chorai! Chorai! Depois dormi!
Venham os descansos veludosos
Vestir os vossos membros... Descansai!
Ponde os lábios na terra! Ponde os olhos na terra!
Vossos beijos finais, vossas lágrimas primeiras
210 Para a branca fecundação!
Espalhai vossas almas sobre o verde!
Guardai nos mantos de sombra dos manacás
Os vossos vaga-lumes interiores!
Inda serão um Sol nos ouros do amanhã!
215 Chorai! Depois dormi!
A mansa noite com seus dedos estelares
Fechará nossas pálpebras...
As vésperas do azul...
As milhores vozes para vosso adormentar!
220 Mas o Cruzeiro do Sul e a saudade dos martírios...
Ondular do vai-vem! Embalar do vai-vem!
Para a restauração o vinho dos noturnos!...
Mas em vinte anos se abrirão as searas!
Virão os setembros das floradas virginais!
225 Virão os dezembros do Sol pojando os grânulos!
Virão os fevereiros do café-cereja!
Virão os marços das maturações!

Virão os abris dos preparativos festivais!
E nos vinte anos se abrirão as searas!
230 E virão os maios! E virão os maios!
Rezas de Maria... Bimbalhadas... Os votivos...
As preces subidas... As graças vertidas...
Tereis a cultura da recordação!
Que o Cruzeiro do Sul e a saudade dos martírios
235 Plantem-se na tumba da noite em que sonhais...

Importa?!... Digo-vos eu nos mansos
Oh! Juvenilidades Auriverdes, meus irmãos:
Chorai! Chorai! Depois dormi!
Venham os descansos veludosos
240 Vestir os vossos membros!... Descansai!

Diuturnamente cantareis e tombareis.
As rosas... As borboletas... Os orvalhos...
O todo-dia dos imolados sem razão...
Fechai vossos peitos!
245 Que a noite venha depor seus cabelos aléns
Nas feridas de ardor dos cutilados!
E enfim no luto em luz, (Chorai!)
Das praias sem borrascas, (Chorai!)
Das florestas sem traições de guaranis
250 (Depois dormi!)
Que vos sepulte a Paz Invulnerável!
Venham os descansos veludosos
Vestir os vossos membros... Descansai!

(quase a sorrir, dormindo)
255 Eu... os desertos... os Caíns... a maldição...

(As JUVENILIDADES AURIVERDES e MINHA LOUCURA adormecem eternamente surdas, enquanto das janelas de palácios, teatros, tipografias, hotéis — escancaradas, mas cegas — cresce uma enorme vaia de assovios, zurros, patadas.)

LAUS DEO

AMAR, VERBO INTRANSITIVO

APRESENTAÇÃO
UM ROMANCE PARA
REVOLUCIONAR A LINGUAGEM

José Almeida Júnior

Mário de Andrade se firmou como o grande nome do modernismo na literatura depois da sua participação na Semana de Arte Moderna de 1922. *Pauliceia Desvairada*, publicada no mesmo ano, foi considerado o primeiro livro de poesia modernista, com os seus versos livres e o uso da linguagem do povo brasileiro, afastando-se do português castiço dos poetas parnasianos.

Entre 1923 e 1926, Mário de Andrade escreveu o seu primeiro romance: *Amar, Verbo Intransitivo – Idílio*, mas o livro só foi publicado em 1927 pela Casa Editora Antônio Tisi. Nesse período, Mário reescreveu diversas vezes o texto. Em carta destinada a Manuel Bandeira em 1924, ele explica que até então o livro tinha quatro redações diferentes.

Inicialmente, o romance se chamaria apenas *Fräulein*. Posteriormente, Mário de Andrade trocou para *Amar, Verbo Intransitivo – Idílio*. O título aponta o caráter modernista da obra, já que amar é um verbo transitivo direto, exigindo um complemento. O título ainda usa a palavra *idílio*, o que indica um amor infantilizado.

A Livraria Martins Editora publicou as Obras Completas de Mário de Andrade em 1944. Na ocasião, o escritor fez uma revisão de *Amar, Verbo Intransitivo*, alterando parte da estrutura do texto e da linguagem. Porém, o enredo não sofreu modificações expressivas.

A edição que serviu de base para a publicação deste livro é a de 1944, com as atualizações ortográficas mais recentes.

Enredo

Amar, Verbo Intransitivo chocou a sociedade paulista no momento de sua publicação em 1927 ao abordar a iniciação sexual de um jovem burguês. O romance conta a história dos Sousa Costa, uma família rica paulista. Felisberto, o patriarca, contrata uma alemã de 35 anos, chamada Elza, para trabalhar como governanta e ensinar piano e alemão aos filhos. No entanto, a verdadeira função de Elza era preparar a vida sexual de Carlos Alberto. Felisberto temia que o filho perdesse a virgindade num prostíbulo, pois poderia contrair uma doença venérea ou se tornar um viciado:

"Você sabe: hoje esses mocinhos... é tão perigoso! Podem cair nas mãos de alguma exploradora! A cidade... é uma invasão de aventureiras agora! Como nunca teve! COMO NUNCA TEVE, Laura... Depois isso de principiar... é tão perigoso! Você compreende: uma pessoa especial evita muitas coisas. E viciadas! Não é só bebida, não! Hoje não tem mulher da vida que não seja eterômana, usam morfina... E os moços imitam! Depois as doenças!... Você vive em sua casa, não sabe... é um horror! Em pouco tempo Carlos estava sifilítico e outras coisas horríveis, um perdido!"

Depois de entrar na casa da família, Elza passa a ser chamada simplesmente de *Fräulein*, senhorita em alemão. O nome da personagem é ocultado na maior parte do livro, representando um processo de despersonalização de Elza, que assume o seu papel profissional, com funções bem definidas, na casa da família Sousa Costa.

No início do livro, nem a matriarca Dona Laura nem as filhas Maria Luísa, Laurita e Aldinha sabiam qual o verdadeiro propósito do trabalho de *Fräulein*. Para elas, *Fräulein* seria apenas governanta e professora. Carlos Alberto, por sua vez, logo entra no jogo de sedução e passa a frequentar o quarto da alemã.

Mário de Andrade trata a questão sexual de maneira sutil no texto. Quando começa a aproximação entre *Fräulein* e Carlos Alberto, eles se tocam durante a lição. O rapaz fica constrangido com a ereção e acaba "enterrando virilmente as mãos nos bolsos do pijama, incapaz de sair daquela sala. *Fräulein* não compreendia. Estava bela. Corada. Os cabelos eriçados, metálicos. Doía nela o desejo daquele ingênuo, amou-o no momento com delírio. Revelação!".

Em outras passagens, o autor continua a tratar o sexo de forma comedida, com situações subentendidas: "Porém, passar uma hora juntinhos, depois de!... que horror!"; "Carlos entrara no quarto de *Fräulein*. Mal tivera tempo de. Porém já machucara a amante, cruzando as pernas sentado".

Imigração e eugenia

A São Paulo do início do século XX estava em transformação com a acumulação de capital oriunda da exportação de café, com o crescente processo de industrialização, e com a chegada de imigrantes.

Fräulein tinha deixado a Alemanha em razão da crise em seu país, decorrente da derrota na Primeira Guerra Mundial. Além da governanta alemã, a família Sousa Costa abriga Tanaka, empregado de origem japonesa. Na elite paulista, o trabalho doméstico mais relevante sofre um processo de branqueamento. Os negros e mestiços são relegados à cozinha e praticamente não têm voz no romance.

Apesar de trabalhar com a iniciação sexual de jovens, *Fräulein* não se considerava uma prostituta. Segundo afirma a própria personagem:

"Não sou nenhuma sem-vergonha nem interesseira! Estou no exercício duma profissão. E tão nobre como as outras. É certo que o senhor Sousa Costa me tomou pra que viesse ensinar a Carlos o que é o amor e evitar assim muitos perigos, se ele fosse obrigado a aprender lá fora. Mas não estou aqui apenas como quem se vende, isso é uma vergonha!"

Fräulein julga que o povo alemão seria capaz de separar a razão dos sentimentos. Para tanto, ela divide a humanidade em "homem-da-vida", representando a racionalidade e a disciplina, e "homem-do-sonho", que se deixa levar pelas emoções. Por isso mesmo, a professora entende ser possível ensinar a iniciação sexual a jovens sem se apaixonar.

Mário de Andrade explora na personagem de *Fräulein* as teorias eugenistas, que seriam postas em prática alguns anos depois da publicação de *Amar, Verbo Intransitivo* na Alemanha Nazista. *Fräulein* acredita que os alemães são de raça superior:

"Vejam por exemplo a Alemanha, quedê raça mais forte? Nenhuma. E justamente porque mais forte e indestrutível neles o conceito da família. Os filhos nascem robustos. As mulheres são grandes e claras. São fecundas. O nobre destino do homem é se conservar sadio e procurar esposa prodigiosamente sadia. De raça superior, como ela, *Fräulein*. Os negros são de raça inferior. Os índios também. Os portugueses também."

Fräulein alimenta preconceito pela miscigenação brasileira, como era comum entre os eugenistas da época. A professora achava que o brasileiro tinha preguiça de estudar. Ela, como uma alemã disciplinada, havia decorado página por página o dicionário Michaelis antes de vir morar no Brasil.

Crítica à burguesia

Mário de Andrade criticou a burguesia paulista em *Pauliceia Desvairada* em 1922, com destaque ao poema *Ode ao burguês*, que, declamado, soa como "ódio ao burguês":

"Eu insulto o burguês! O burguês-níquel,
o burguês-burguês!
A digestão bem-feita de São Paulo!
O homem-curva! o homem-nádegas!
O homem que sendo francês, brasileiro, italiano,
é sempre um cauteloso pouco-a-pouco!"

Em *Amar, Verbo Intransitivo*, Mário de Andrade reforça a crítica aos ideais burgueses da nova elite paulista. O fato de o patriarca Sousa Costa contratar uma professora para fazer a iniciação sexual de seu filho mostra como a burguesia pretendia mercantilizar todas as relações, inclusive as amorosas:

"*Fräulein* falava tudo pra ele, abria os olhos dele e ficávamos descansados, ela é tão instruída! Depois pregávamos um bom susto nele. (Se ria.) Ficava curado e avisado. Ao menos eu salvava a minha responsabilidade. Depois não é barato não! tratei *Fräulein* por oito contos! Sim, senhora: oito contos, fora a mensalidade. Naturalmente não barateei. Mais caro que o Caxambu que me custou seis e já deu um lote de novilhas estupendas. Mas isso não tem importância, o importante é o nosso descanso."

Como as famílias ricas da época, os Sousa Costa buscam uma educação europeia para os seus filhos. Por isso, nenhum outro membro da família desconfia quando Felisberto contrata uma alemã, com alguma bagagem intelectual, para ser governanta e professora.

Embora tivesse uma aparência de intelectualidade, a família Sousa Costa não se dedicava à cultura. Os livros da biblioteca eram intocados: "Das lombadas de couro, os grandes amorosos espiavam, Dante, Camões, Dirceu. Não digo que, pro momento fílmico do caso, estes sejam livros exemplares, porém asseguro que eram exemplares virgens. Nem cortados alguns. Não adiantavam nada, pois."

Os Sousa Costa também tentam esconder os traços da sua própria miscigenação, com brilhantina: "Sousa Costa usava bigodes onde a brilhantina indiscreta suava negrores nítidos. Aliás todo ele era um cuitê de brilhantinas simbólicas, uma graxa, mônada sensitiva e cuidadoso de sua pessoa."

Dona Laura também apresenta "ondulações suspeitas" em seus cabelos negros:

"E quem diria que Sousa Costa não era bom marido? era sim. Fora tão nu de preconceitos até casar sem pôr reparo nas ondas suspeitas dos cabelos da noiva. E bem me lembro que ficaram noivos em tempo de calorão... Dona Laura retribuía a confiança do marido, esquecendo por sua vez que bigodes abastosos e brilhantinados são suspeitos também."

Romance experimental

Assim, como *Pauliceia Desvairada* revolucionou a poesia em 1922, *Amar, Verbo Intransitivo* trouxe inovações estéticas do modernismo ao romance. O livro não contém divisão de títulos ou capítulos, apenas espaços em branco fazem os cortes na estrutura da narrativa.

Embora tenha um caráter experimental, o romance apresenta uma linguagem acessível e coloquial. Mário de Andrade procura aproximar a literatura da língua falada nas ruas, utilizando expressões de diversas regiões brasileiras.

No posfácio de *Amar, Verbo Intransitivo*, Mário de Andrade explica a linguagem utilizada no livro:

"A língua que usei. Veio escutar melodia nova. Ser melodia nova não quer dizer que feia. Carece primeiro a gente se acostumar. Procurei me afeiçoar ao meu falar e agora que já estou acostumado a lê-lo escrito gosto muito e nada me fere o ouvido já esquecido da toada lusitana. Não quis criar língua nenhuma. Apenas pretendi usar os materiais que a minha terra me dava, minha terra do Amazonas ao Prata."

Para se aproximar da língua falada, Mário de Andrade subverte as normas ortográficas então vigentes em diversas passagens do texto. O escritor inicia frases com o pronome oblíquo; faz duplicações de verbos para dar intensidade, como "brincabrincando", "queimaqueimados" e "chorachorando"; cria neologismos, como "moçoloirara"; usa o advérbio "meia", em vez de "meio", como "meia incomodada", "meia chorosa", "meia triste".

Mário de Andrade não insere "erros gramaticais" apenas em diálogos de personagens menos instruídos. A elite também comete "equívocos" na linguagem, como a Dona Laura, que fala "xicra" em vez de xícara: "— Deus lhe ouça, *Fräulein*! Eu espero a **xicra** aqui, não tenho coragem pra ver minha filha sofrer!".

Em carta a Manuel Bandeira, Mário de Andrade escreve sobre a composição de *Amar, Verbo Intransitivo*:

"O livro é uma mistura incrível. Tem tudo lá dentro. Crítica, teoria, psicologia e até romance: sou eu. E eu pesquisador. Pronomes oblíquos começando a frase, "mandei ela" e coisas assim, não na boca dos personagens, mas na minha direta pena. Fugi do sistema português. Que me importa se o livro seja falho? Meu destino não é ficar. Meu destino é lembrar que existem mais coisas que as vistas e ouvidas por todos. Se conseguir que se escreva brasileiro sem por isso parecer caipira, mas sistematizando erros diários de conversação e psicologia brasileira, já cumpri meu destino."

O conteúdo da carta demonstra como Mário de Andrade agia com a consciência de quem escrevia o romance para revolucionar a linguagem, aproximando a palavra escrita da palavra falada nas ruas, com todos os vícios e violações às regras ortográficas. No prefácio de *Pauliceia Desvairada*, ele já tinha alertado "Escrevo brasileiro. Se uso ortografia portuguesa é porque, não alterando o resultado, dá-me uma ortografia".

Narrador machadiano

Em texto escrito no jornal *Diário de Notícias*, nas comemorações do centenário de nascimento de Machado de Assis em 1939, Mário de Andrade disse que não amava o autor de *Memórias póstumas de Brás Cubas*. Segundo o escritor modernista, Machado "foi um homem que me desagrada e que não desejaria para o meu convívio".

Mário seguia a esteira da geração modernista de 1922, que queria romper com as tradições literárias e o academicismo, representados na figura de Machado de Assis, fundador-presidente da Academia Brasileira de Letras.

Em *Amar, verbo intransitivo*, porém, é possível perceber claramente a influência do narrador machadiano, que interrompe a narrativa, fazendo digressões e até galhofas:

"Volto a afirmar que o meu livro tem 50 leitores. Comigo 51. Não é muito, não. Cinquenta exemplares distribuí com dedicatórias gentilíssimas. Ora dentre cinquenta presenteados, não tem exagero algum supor que ao menos 5 hão de ler o livro. Cinco leitores. Tenho, salvo omissão, 45 inimigos. Esses lerão meu livro, juro. E a lotação do bonde se completa. Pois toquemos para avenida Higienópolis!"

Em outra passagem, o narrador comenta a respeito do personagem Carlos Alberto:

"Não sei se pus alguma coisa de Carlos nestas últimas páginas. Tive intenção de. Relendo o capítulo, sinto que aí estão a pureza, a inocência, os ossos e a graça sutil do rapaz. E determinei bem que ele era um machucador de marca maior. Nesse dia então, viveu atentando as meninas."

A figura do narrador machadiano intervém em diversos outros trechos do livro, o que demonstra a influência de Machado de Assis em *Amar, Verbo Intransitivo*.

Amar, verbo intransitivo?

Amar, Verbo Intransitivo teve em geral uma boa recepção. Recebeu a crítica de Oswaldo de Andrade pelo seu caráter naturalista. Já Ribeiro Couto condenou a forma como Mário de Andrade tratou na obra o povo alemão.

O romance foi traduzido para o inglês por Margaret Hollingsworth e publicado pela editora Macaulay. Nos Estados Unidos, recebeu o título de *Fräulein*, tendo duas edições em 1933. *Amar, verbo intransitivo* foi o livro que mais concedeu direitos autorais do exterior a Mário de Andrade em vida.

O personagem Carlos Alberto, com os seus dezesseis anos de idade, apaixona-se facilmente pela professora, um *idílio*. *Fräulein*, por sua vez, aos 35 anos e com a frieza e a racionalidade alemã, tinha missão de fazer a iniciação sexual de Carlos, sem sentimentos, um *amor intransitivo*.

Porém, seria possível ensinar a amar intransitivamente? Ou a professora alemã iria se apaixonar?

Amar, Verbo Intransitivo responde a essa e a outras questões. Embora menos conhecida e estudada do que *Macunaíma*, o livro está entre as grandes obras da literatura brasileira. Mário de Andrade escreve o romance com uma linguagem moderna e faz uma representação da cidade de São Paulo do início do século XX, com todos os problemas sociais envolvidos.

AMAR, VERBO INTRANSITIVO

A porta do quarto se abriu e eles saíram no corredor. Calçando as luvas Sousa Costa largou por despedida:

— Está frio.

Ela muito correta e simples:

— Estes fins de inverno são perigosos em São Paulo.

Lembrando mais uma coisa reteve a mão de adeus que o outro lhe estendia.

— E, senhor... sua esposa? está avisada?

— Não! A senhorita compreende... ela é mãe. Esta nossa educação brasileira... Além do mais com três meninas em casa!...

— Peço-lhe que avise sua esposa, senhor. Não posso compreender tantos mistérios. Se é para bem do rapaz.

— Mas, senhorita...

— Desculpe insistir. É preciso avisá-la. Não me agradaria ser tomada por aventureira, sou séria. E tenho 35 anos, senhor. Certamente não irei se sua esposa não souber o que vou fazer lá. Tenho a profissão que uma fraqueza me permitiu exercer, nada mais nada menos. É uma profissão.

Falava com a voz mais natural desse mundo, mesmo com certo orgulho que Sousa Costa percebeu sem compreender. Olhou pra ela admirado e, jurando não falar nada à mulher, prometeu.

Elza viu ele abrir a porta da pensão. Pâam... Entrou de novo no quartinho ainda agitado pela presença do estranho. Lhe deu um olhar de confiança. Tudo foi sossegando pouco a pouco. Penca de livros sobre a escrivaninha, um piano. O retrato de Wagner. O retrato de Bismarck.

Terça-feira o táxi parou no portão da Vila Laura. Elza apeou ajeitando o casaco, toda de pardo, enquanto o motorista botava as duas malas, as caixas e embrulhos no chão.

Era esperada. Já carregavam as malas pra dentro. Uns olhos de 12 anos em que uma gaforinha americana enroscava a galharia negro-azul apareceu na porta. E no silêncio pomposo do casão o xilofone tiniu:

— A governanta está aí! Mamãe! a governanta está aí!

— Já sei, menina! Não grite assim!

Elza discutia o preço da corrida.

— ... e com tantas malas, a senhora...

— É muito. Aqui estão cinco. Passe bem. Ah, a gorjeta...

Deitou quinhentos réis na mão do motorista. Atravessou as roseiras festivas do jardim.

Dia primeiro ou dois de setembro, não lembro mais. Porém é fácil de saber por causa da terça-feira.

Bem diferente dos quartinhos de pensão... Alegre, espaçoso. Pelas duas janelas escancaradas entrava a serenidade rica dos jardins. O olhar torcendo para a esquerda seguia a disciplinada carreira das árvores na avenida. Em Higienópolis os bondes passam com bulha quase grave soberbosa, macaqueando o bem-estar dos autos particulares. É o mimetismo arisco e irônico das coisas ditas inanimadas. São bondes que nem badalam. Procedem como o rico-de-repente que no chá da senhora Tal, família campineira de sangue, adquire na epiderme do fraque a macieza dos tradicionais e cruza as mãos nas costas— que importância!— pra que a gente não repare na grossura dos dedos, no quadrado das unhas chatas. Neto de Borbas me secunda desdenhoso que badalo e mãos ásperas nem por isso deixam de existir, ora! o badalo pode não tocar e mãos se enluvam.

Elza trouxe de novo os olhos de fora. O criado japonês botara as malas bem no meio do vazio. Estúpidas assim. As caixas, os embrulhos perturbavam as retas legítimas.

A moça, depois das cortesias trocadas com a senhora Sousa Costa e um naco de conversa indiferente, subira apenas pra tirar o chapéu. Logo o criado viria chamá-la pro almoço... Acalmava depois aquilo, agora tinha de se arranjar. Alisou os cabelos, deu à gola da blusa, às pregas do casaco uma rijeza militar. Nenhuma faceirice por enquanto. No princípio tinha de ser simples. Simples e insexual. O amor nasce das excelências interiores. Espirituais, pensava. O desejo depois.

Quando pronta, esperou imaginando, encostada no lavatório. Ganhava mais oito contos... Se o estado da Alemanha melhorasse, mais um ou dois serviços e podia partir. E a casinha sossegada... Rendimento certo, casava... O vulto ideal, esculpido com o pensamento de anos, atravessou devagarinho a memória dela. Comprido magro... Apenas curvado pelo prolongamento dos estudos... Científicos. Muito alvo, quase transparente... E a mancha irregular do sangue nas maçãs... Óculos sem aro...

Se impacientou. Quis pensar prático, e o almoço? Por que o criado não chegava? A senhora Sousa Costa avisara que o almoço era já. Devia de ser já. No entanto esperava fazia bem uns quinze minutos, que irregularidade. Olhou o relógio-pulseira. Marcava aluado como sempre, ponhamos seis horas. Ou dezoito, à escolha. Havia de acertá-lo outra vez quando chegasse embaixo no hol. Dez vezes, cem vezes. Inútil mandá-lo mais ao relojoeiro, mal sem cura. Em todo o caso sempre era relógio. Porém não teriam hora certa de almoçar naquela casa? Olhou pro céu. Ficou assim.

O pequeno corredor de que o quarto dela era a última porta dava pra sala central.

De lá vinham as flautas e os tico-ticos. Parava a música. A bulha dos passinhos arranhava o corredor. De repente fugia assustado sem motivo colibri. Pleque-pleque, pleque... pleque...

Causava aqueles atropelos... Nem sorriu. As crianças desta casa são curiosas. Pensou em sair do quarto, indagar. Não que tivesse fome, porém era hora do almoço, a senhora Sousa Costa afirmara que o almoço era já. Mãozinha tamborilando no mármore. Depois olhou as unhas. Repuxava uma pele mais saliente.

— Mamãe! Mamãe! olhe Carlos!

O menino agarrara a irmã na boca do corredor. Brincalhão, bem disposto como sempre. E machucador. Porém não fazia de propósito, ia brincar e machucava. Cingia Maria Luísa com os braços fortes, empurrava-a com o peito, cantarolando bamboleado no picadinho. Ela se debatia, danando por se ver tão mais fraca. Empurrada, sacudida, revirada. "Tatu subiu no pau..."

— Mamãe! Me largue, Carlos! me laargue!

Sacudida, revirada, tiririca, socos.

— ... "Lagarto lagartixa

Isso sim é que pode ser."

Empurrada, sacudida.

— Mamãe!...

A carne rija dele recebia os socos, deliciada. Só protegia a cara erguendo-a pro alto, de lado. Podia bater até no estômago se quisesse! Já praticava boxe. "Tatu subiu..."

Dona Laura embaixo:

— Que é isso, meninos! Carlos! ô Carlos! Desça já!

— Não estou fazendo nada, mamãe! Também não posso dançar um poucadinho!

— É! me sacudiu toda!... Bruto!

— Estava ensinando o shimmy pra ela, mamãe! Você não viu a Bêbê Daniels?

— Mas eu não sou Bêbê Daniels!

— Mas eu quero que seja!

— Não sou e não sou, pronto! Mamãe!

— "Tatu sub..."

— Me largue! Bruto!

Elza desembocara na sala. Carlos, vendo a desconhecida, largou Maria Luísa e encabulou. Pra disfarçar carregou a irmãzinha menor. Machucou. Flautim:

— Mamãe! Mamãe!

Se rindo do chuvisco dos tapinhas, carregando a irmã no braço esquerdo, Carlos ofereceu a mão livre à moça. Voz paulista, certa de chegar no fim da frase. Olhos francos investigando.

— Bom dia. A senhora é a governanta, é?

Ela sorriu, escondendo a irritação.

— Sou.

Mas Aldinha, achando de jeito a mão que Carlos trouxera pra resguardo do rosto, mordeu.

— Viu só! Mamãe! Aldinha me deu uma dentada!

— Meu Deus! inda enlouqueço com essas crianças!

— Tirou sangue! Olhe aí o que você fez, sua gatinha!

— Carlos, você não me ouve! Olhem que eu subo!

Dona Laura nunca subiria a escada outra vez.

— Mamãe... foi ele que me machucou! — Já chorosa.

— Vocês não ouvem sua mãe chamar! Desçam já!

Era a clave de fá de Sousa Costa. Barítono enfarado, de quem não gosta de se amolar nem passar pitos.

Elza consolava a pecurrucha, com meiguice emprestada. Não sabia ter meiguice. Mais questão de temperamento que de raça, não me venham dizer que os alemães são ríspidos. Tolice! conheci.

Carlos descia a escada rindo. Se explicava. Limpava o sangue na outra mão, esfregando a mordida. Era exagero só pra evitar pito maior. Elza viu ele descer, equilibrado, brincando com os degraus. Aquele "A senhora é a governanta..." Percebeu que o menino era um forte.

Machucador apenas.

li pela boca da noite o viver da casa já estava reorganizado e velho. A mesma coisa de antes resvalando para a mesma coisa de em seguida. Isto não sei se é bem se é mal, mas a culpa é toda de Elza. Isto sei e afirmo. Se não fosse a moça, dona Laura levaria um dilúvio de manhãs pra se acomodar com a situação nova. Sousa Costa inda por vinte jantas teria a surpresa desagradável duma intrometida lhe roubando as anedotas de família. Elza porém desde o primeiro instante se apresentara tão conhecida, tão trilhada e de ontem! O desembaraço era premeditado não tem dúvida, mas lhe saía natural e discreto. Isto se descontaria dentre as facilidades das raças superiores... Porém tal razão é assuntar apenas a epiderme da experiência. Antes, estou disposto a reconhecer nela essa faculdade prática de adaptação dos alemães em terra estranha.

Imediatamente se apossara dos deveres próprios e se colocara na posição exata. O começo dela é de quem recomeça. Você repare no filho, na mulher que voltam dos quinze dias de fazenda ou Caxambu. Abraços, forrobodó festivo, admiração premeditada. "Você está bem mais gordo!" Alegrias. Depois a gente troca as novidades. Depois a mesma coisa recomeça, o polvo readquire o tentáculo que faltava. Com a mesma naturalidade quotidiana, pratica o destino dele: prover e vogar. Sobe à tona da vida ou desce porta adentro, na profundeza marinha. Profundeza eminentemente respeitável e secreta. Quanto à tona da vida, já se conhece bem a fotografia: a mãe está sentada com a família, menorzinha no colo. O pai de pé descansa protetoramente no ombro dela a mão honrada. Em torno se arranjaram os barrigudinhos. A disposição pode variar, mas o conceito continua o mesmo. Vária disposição demonstra unicamente o progresso que nestes tempos de agora fizeram os fotógrafos norte-americanos.

Elza é filho chegando do sítio ou mãe que volta de Caxambu. Membro que faltava e de novo cresce. Começara como quem recomeça, e a tranquilidade aplainou logo a existência dos Sousa Costa, extraindo as últimas lascas da desordem, polindo os engruvinhamentos do imprevisto.

Mesmo para as meninas, três: Maria Luísa com doze anos, Laurita com sete, Aldinha com cinco, Elza já dera completo conhecimento de si, estrangulando a curiosidade delas. Já determinara as horas de lição de Maria Luísa e Carlos. Já dispusera os vestidos, os chapéus e os sapatos no guarda-roupa. No jardim, fizera as meninas pronunciarem muitas vezes: Fräulein. Assim deviam lhe chamar.

"Fräulein" era pras pequenas a definição daquela moça... antipática?... Não. Nem antipática nem simpática: elemento. Mecanismo novo da casa. Mal imaginam por enquanto que será o ponteiro do relógio familiar.

Fräulein... nome esquisito! nunca vi! Que bonitas assombrações havia de gerar na imaginação das crianças! Era só deixar ele descansar um pouco na ramaria baralhada, mesmo inda com poucas folhas, das associações infantis, que nem semente que dorme os primeiros tempos e espera. Então espigaria em brotos fantásticos, floradas maravilhosas como nunca ninguém viu. Porém as crianças nada mais enxergariam entre as asas daquela mosca azul... Elza lhes fizera repetir muitas vezes, vezes por demais a palavra! Metodicamente a dissecara. "Fräulein" significava só isto e não outra coisa. E elas perderam todo gosto com a repetição. A mosca sucumbira, rota, nojenta, vil. E baça.

Tal qual o substantivo, Elza se mostrara no seu eu visível e possível. No seu eu passível de entendimento infantil. Que infantil! humano, universal, devo escrever. Malvada! Cerceara os galopes da criação imaginativa, iluminara de sol cru as sombras do mistério. Quedê os elfos da Floresta Negra? as ondinas sonorosas do Vater Rhein? A gente percebia muito bem as cordas que elevavam a protagonista no ar. O público não aplaudiu.

As crianças lhe chamariam sempre Fräulein... Fräulein queria dizer moça? Qual moça nem virgem! Fräulein era Elza. Elza era a governanta. Professora. Regrava passeios sempre curtos, batia as horas das lições sempre compridas. Como é que o público podia se interessar por uma fita dessas! Não aplaudiu. Com outras palavras mais bonitas, assim pensou mais tarde Maria Luísa Sousa Costa, herdeira de fazendas, grave.

— Como ela está ficando parecida com a senhora, dona Laura!

— Acha!...

Mas não tem dúvida: isso da vida continuar igualzinha, embora nova e diversa, é um mal. Mal de alemães. O alemão não tem escapadas nem imprevistos. A surpresa, o inédito da vida é pra ele uma continuidade a continuar. Diante da natureza não é assim. Diante da vida é assim. Decisão: "Viajaremos hoje." O latino falará: "Viajaremos hoje!". O alemão fala: "Viajaremos hoje." Ponto-final. Pontos de exclamação... É preciso exclamar pra que a realidade não canse...

Sousa Costa usava bigodes onde a brilhantina indiscreta suava negrores nítidos. Aliás todo ele era um cuitê de brilhantinas simbólicas, uma graxa, mônada sensitiva e cuidadoso de sua pessoa. Não esquecia nunca o cheiro no lenço. Vinha de portugueses. Perfeitamente. E de Camões herdara ser femeeiro irredutível.

Em tempos de calorão surgiam nos cabelos negros de dona Laura umas ondulações suspeitas. Usava penteadores e vestidos de seda muito largos. Apenas um gesto e aqueles panos, e rendas, e vidrilhos despencavam pra uma banda, afligindo a gente. Meia mal-acabada. Era maior que o marido, era. Lhe permitira aumentar as fábricas de tecidos no Brás e se dedicar por desfastio à criação do gado caracu.

Nas noites espaçadas em que Sousa Costa se aproximava da mulher, ele tomava sempre o cuidado de não mostrar jeitos e sabenças adquiridos lá embaixo no vale. No vale do Anhangabaú? É. Dona Laura comprazia com prazer o marido. Com prazer? Cansada. Entre ambos se firmara tacitamente e bem cedo uma convenção honesta: nunca jamais ele trouxera do vale um fio louro no paletó nem aromas que já não fossem pessoais.

Ou então aromas cívicos. Dona Laura por sua vez fingia ignorar as navegações do Pedro Álvares Cabral. Convenção honesta se quiserem... Não seria talvez a precisão interior de sossego?... Parece que sim. Afirmo que não. Ah! ninguém o saberá jamais!...

E quem diria que Sousa Costa não era bom marido? era, sim. Fora tão nu de preconceitos até casar sem pôr reparo nas ondas suspeitas dos cabelos da noiva. E bem me lembro que ficaram noivos em tempo de calorão... Dona Laura retribuía a confiança do marido, esquecendo por sua vez que bigodes abastosos e brilhantinados são suspeitos também. Sentia agora eles trepadeirando pelo braço gelatinoso dela e, meio dormindo, se ajeitando:

— Vendeu o touro?

— Resolvi não vender. É muito bom reprodutor.

Dormiam.

Quando Carlos nasceu batizaram-no, pois não. As meninas iam nas missas de domingo, se era manhã de sol, o passeio até fazia bem... Com nove anos mais ou menos recebiam a primeira comunhão. Dona Laura mandava lhes ensinar o catecismo por uma parenta pobre, muito religiosa, coitada! catequista em Santa Cecília. Dona Laura usava uma cruz de brilhantes que o marido dera pra ela no primeiro aniversário de casamento. Era uma família católica. Nas festas principais da casa vinha Monsenhor.

Carlos abaixou o rosto, brincando com a página:

— Não sei... Papai quer que eu estude Direito...

— E você não gosta de Direito?

— Não gosto nem desgosto, mas pra quê? Ele já falou uma vez que quando eu fizer vinte e um anos dá uma fazenda pra mim... Então pra quê Direito!

— Quantos anos você tem?

— ... fazer dezasseis.

— *Ich bin sechzehn Jahre alt.*

Carlos repetiu encabulado.

— Não. Pronuncie melhor. Não abra assim as vogais. É *sechzehn*.

— *Sechzehn.*

— Isso. Repita agora a frase inteira.

— Em inglês eu sei bem! *I'm sixteen years old!*

Fräulein escondeu o movimento de impaciência. Não conseguia prender a atenção do menino. O inglês e o francês eram familiares já pra ele. Principalmente o inglês de que tinha aulas diárias desde nove anos. Mas alemão... Já cinco lições e não decorara uma palavrinha só, burrice? Nesta aula que acabava, Fräulein já fora obrigada a repetir três vezes que irmã era *schwester*. Carlos aluado. As palavras alemãs lhe fugiam da memória, assustadiças, num tilintar de consoantes agrupadas. Pra salvar a vaidade respondia em inglês. Machucava a professora, lhe dando uns ciúmes inconscientes.

Porém Fräulein se esconde num sorriso:

— Não faça assim. *Ich bin sechzehn Jahre alt*, repita. Só mais uma vez.

Carlos repetiu molemente. A hora acabava. Se livrar daquela biblioteca!...

Encontraram Maria Luísa no hol. Carlos parou pernas fincadas, peitaria ressaltada, impedindo a passagem da irmã.

— Mamãe! venha ver Carlos!

Fräulein puxava-o pela mão.

— Carlos, já começa...

Segurava-o com doçura, se rindo. Ele deu aquele risinho curto. Desapontava sempre. Ao menos desenhava no jeito a aparência do desapontamento. Nenhuma timidez porém, muito menos ainda a desconfiança de si mesmo. Desapontava no sorriso horizontal, mostrando a fímbria dos dentes grandalhões irregulares. Desapontava no olhar, pondo olheiras na face com a sombra larga das pestanas. Agora estava muito encafifado por causa da munheca presa entre as mãos da moça. Se desvencilhava aos poucos. Ela forcejou.

— Você não é mais forte que eu!

— Sooooou! — Um minuto durou o indicativo presente. E foi um brinquedinho se livrar. Sem aspereza. Subiu a escada, pulando de quatro em quatro os degraus.

Fräulein ficou imóvel. Deliciosamente batida.

Não vejo razão pra me chamarem vaidoso se imagino que o meu livro tem neste momento cinquenta leitores. Comigo 51. Ninguém duvide: esse um que lê com mais compreensão e entusiasmo um escrito é autor dele. Quem cria, vê sempre uma Lindoia na criatura, embora as índias sejam pançudas e ramelentas.

Volto a afirmar que o meu livro tem cinquenta leitores. Comigo 51. Não é muito, não. Cinquenta exemplares distribuí com dedicatórias gentilíssimas. Ora dentre cinquenta presenteados, não tem exagero algum supor que ao menos 5 hão de ler o livro. Cinco leitores. Tenho, salvo omissão, 45 inimigos. Esses lerão meu livro, juro. E a lotação do bonde se completa. Pois toquemos pra avenida Higienópolis!

Se este livro conta 51 leitores sucede que neste lugar da leitura já existem 51 Elzas. É bem desagradável, mas logo depois da primeira cena, cada um tinha a Fräulein dele na imaginação. Contra isso não posso nada e teria sido indiscreto se antes de qualquer familiaridade com a moça, a minuciasse em todos os seus pormenores físicos, não faço isso. Outro mal apareceu: cada um criou Fräulein segundo a própria fantasia, e temos atualmente 51 heroínas pra um só idílio.

Cinquenta e um, com a minha, que também vale. Vale, porém não tenho a mínima intenção de exigir dos leitores o abandono de suas Elzas e impor a minha como única de existência real. O leitor continuará com a dele. Apenas por curiosidade, vamos cotejá-las agora.

Pra isso mostro a minha nos 35 atuais janeiros dela.

Se não fosse a luz excessiva, diríamos a Betsabê, de Rembrandt. Não a do banho que traz bracelete e colar, a outra, a da *Toilette*, mais magrinha, traços mais regulares.

Não é clássico nem perfeito o corpo da minha Fräulein. Pouco maior que a média dos corpos de mulher. E cheio nas suas partes. Isso o torna pesado e bastante sensual. Longe porém daquele peso divino dos nus renascentes italianos ou daquela sensualidade das figuras de Scopas e Leucipo. Isso: Rembrandt, quase Cranach. Nenhuma espiritualidade. Indiferente burguesice. Casasse com ela mais cedo, o marido veria no fim da vida a terra e os cobres repartidos entre 21 generaizinhos infelizes. Disse 21 porque me lembrei agora da filharada de João Sebastião Bach. Generaizinhos porque me lembrei do fim de Alexandre Magno. E infelizes? Ora por que qualifiquei os 21 generaizinhos de infelizes!... pessimismo! amargura! ah...

Isso do corpo de Fräulein não ser perfeito, em nada enfraquece a história. Lhe dá mesmo certa honestidade espiritual e não provoca sonhos. E aliás, se renascente e perfeito, o idílio seria o mesmo.

Fräulein não é bonita, não. Porém traços muito regulares, coloridos de cor real. E agora que se veste, a gente pode olhar com mais franqueza isso que fica de fora e ao mundo pertence, agrada, não agrada? Não se pinta, quase nem usa pó de arroz. A pele estica, discretamente polida com os arrancos da carne sã. O embate é cruento. Resiste a pele, o sangue se alastra pelo interior e Fräulein toda se roseia agradavelmente.

O que mais atrai nela são os beiços, curtos, bastante largos, sempre encarnados. E inda bem que sabem rir: entremostram apenas os dentinhos dum amarelo sadio mas sem frescor. Olhos castanhos, pouco fundos. Se abrem grandes, muito claros, verdadeiramente sem expressão. Por isso duma calma quase religiosa, puros. Que cabelos mudáveis! ora louros, ora sombrios, dum pardo em fogo interior. Ela tem esse jeito de os arranjar, que estão sempre pedindo arranjo outra vez. Às vezes, as madeixas de Fräulein se apresentam embaraçadas, soltas de forma tal, que as luzes penetram nelas e se cruzam, como numa plantação nova de eucaliptos. Ora é a mecha mais loura que Fräulein prende e cem vezes torna a cair...

O menino aluado como sempre. Fixava com insistência um pouco de viés... Seria a orelha dela? Mais pro lado, fora dela, atrás. Fräulein se volta. Não vê nada. Apenas o batalhão dos livros, na ordem de sempre. Então era nela, talvez a nuca. Não se desagradou do culto. Porém Carlos com o movimento da professora viu que ela percebera a insistência do olhar dele. Carecia explicar. Criou coragem mas encabulou, encafifado de estar penetrando intimidades femininas. Não foi sem comoção, que venceu a própria castidade e avisou:

— Fräulein, seu grampo cai.

O gesto dela foi natural porque o despeito se disfarçou. Porém Fräulein se fecha duma vez. Quinze dias já e nem mostras do mais leve interesse, arre!

Será que não consegue nada!... Isso lhe parece impossível, estava trabalhando bem... Que nem das outras vezes. Até melhor, porque o menino lhe interessava, era muita... muita... simpatia? a inocência verdadeiramente esportiva? talvez a ingenuidade... A serena força... *Und so einfach*, nem vaidades nem complicações... atraente. Fräulein principiara com mais entusiasmo que das outras vezes. E nada. Veremos, ganhava pra isso e paciência não falta a alemão. Agora porém está fechada por despeito, dentro dela não penetra mais ninguém.

Fräulein se sentiu logo perfeitamente bem dentro daquela família imóvel mas feliz. Apenas a saúde de Maria Luísa perturbava um tanto o cansaço de dona Laura e a calma prudencial de Sousa Costa. Servia de assunto possível nos dias em que, depois da janta, Sousa Costa queimava o charuto no hol, como que tradicionalmente revivendo a cerimônia tupi. Depois se escovava, pigarreando circunspecto. Vinha dar o beijo na mulher.

— Adeus, papai!

— Até logo.

— Até logo, papai!

— Boa noite.

Dona Laura ficava ali, mazonza, numa quebreira gostosa, quase deitada na poltrona de vime, balanceando manso uma perna sobre a outra. Isso quando não tinham frisa, segundas e quintas no Cine República. Folheava o jornal. Os olhos dela, descendo pela coluna termométrica dos falecimentos e natalícios, vinham descansar no clima temperado do folhetim. Às vezes ela acordava um romance da biblioteca morta, mas os livros têm tantas páginas... Folhetim a gente acaba sem sentir, nem cansa a vista. Como Fräulein lê!... As crianças foram dormir. Vida para. Os estralos espaçados dos vimes assombram o cochilar de dona Laura.

Qual! Fräulein não podia se sentir a gosto com aquela gente! Podia porque era bem alemã. Tinha esse poder de adaptação exterior dos alemães, que é mesmo a maior razão do progresso deles.

No filho da Alemanha tem dois seres: o alemão propriamente dito, homem-do-sonho; e o homem-da-vida, espécie prática do homem-do-mundo que Sócrates se dizia.

O alemão propriamente dito é o cujo que sonha, trapalhão, obscuro, nostalgicamente filósofo, religioso, idealista incorrigível, muito sério, agarrado com a pátria, com a família, sincero e 120 quilos. Vestindo o tal, aparece outro sujeito, homem-da-vida, fortemente visível, esperto, hábil e europeiamente bonitão. Em princípio se pode dizer que é matéria sem forma, dútil H_2O se amoldando a todas as quartinhas. Não tem nenhuma hipocrisia nisso, nem máscara. Se adapta o homem-da-vida, faz muito bem. Eu se pudesse fazia o mesmo, e você, leitor. Porém o homem-do-sonho permanece intacto. Nas horas silenciosas da contemplação, se escuta o suspiro dele, gemido espiritual um pouco doce por demais, que escapa dentre as molas flexíveis do homem-da-vida, que nem o queixume dum deus paciente encarcerado.

O homem-da-vida é que a gente vê. Ele criou no negócio dele artigo tão bom como o do inglês. Cobra caro. Mas não vê que um comprador saiu com as mãos abanando por causa do preço. Adapta-se o homem-da-vida. No dia seguinte o freguês encontra artigo quase igual ao outro, com o mesmo aspecto faceiro e de preço alcançável. Sai com os bolsos vazios e as mãos cheias. O anglo da fábrica vizinha, ali mesmo, só atravessar um estirão de água zangada, não vendeu o artigo dele. Não vendeu nem venderá. E continuará sempre fazendo-o muito bom.

Eu admirava mais o inglês se só este conseguisse manipular a mercadoria excelente, porém o alemão homem-da-vida também melhora as coisas até a excelência. Apenas carece que alguém vá na frente primeiro. Isso o próprio Walter de Rathenau observou, grande homem!... Homem-do-sonho. Os outros que inventem. O alemão pega na descoberta da gente e a desenvolve e melhora. E a piora também, estabelecendo uma tabela de preços a que podem abordar bolsas de todos os calados. Daí, aos poucos, todo o mundo ir preferindo o comerciante alemão.

Os países de exportação industrial viam o fenômeno, de cara feia. O homem-da-vida observava a raiva da vizinhança... E se lá nas trevas interiores, onde se reúnem as assombrações familiares, o homem-do-sonho também cantava o seu "Home, sweet home" que a nenhuma raça pertence e é desejo universal, o homem-da-vida se adaptava ainda. Construía canhões pelas mãos brandas duma viúva. Armazenava gases asfixiantes, afiava lamparinas pra cortar futuramente os imaginários bracinhos de quanto Haensel e quanta Gretel imaginários e franceses produz o susto razoável de Chantecler. Bárbaro tedesco, infra terno germano infraterno!

Aceitemos mesmo que engordasse a ideia multissecular, universal e secreta, da posse do mundo... Não se culpe por ela o homem-do-sonho. O da-vida é que, se observando vitorioso no mundo, concluía que era muito justo lhe caber a posse do tal. Quem errou forte e incorrigivelmente? Só Bismarck. Alguém chamou esse homem de "último Nibelungo"... Nibelungo, não tem dúvida. Conseguiu Alsácia, ouro do Reno, pela renúncia do amor.

Enquanto isso todos os países da terra, abraçados, se amavam numa promíscua rede comum, não é? Estávamos no primeiro decênio deste século que deu no vinte. Todos os abraçados perdiam terreno. O homem-da-vida ganhava-o. Por adaptação? É. Será? Vejo Serajevo apenas como bandeira. Nas pregas dela brisam invisíveis as ambições comerciais. Pum! Taratá! Clarins gritando, baionetas cintilando, desvairado matar, hecatombes, trincheiras, pestes, cemitérios... Soldados desconhecidos. A culpa era do homem-da-vida, não é? Porém a guerra foi inventada pelos proprietários das fábricas vizinhas, isso não tem que guerê nem pipoca! Não foi.

Culpa de um, culpa de outro, tornaram a vida insuportável na Alemanha. Mesmo antes de 1914 a existência arrastava difícil lá, Fräulein se adaptou. Veio pro Brasil, Rio de Janeiro. Depois Curitiba onde não teve o que fazer. Rio de Janeiro. São Paulo. Agora tinha que viver com os Sousa Costa. Se adaptou. — ... *der Vater... die Mutter... Wie geht es ihnen?...* A pátria em alemão é neutro: *das Vaterland.* Será! Vejo Serajevo apenas como bandeira. Nas pregas dela brisam... etc.

(Aqui o leitor recomeça a ler este fim de capítulo do lugar em que a frase do etc. principia. E assim continuará repetindo o cânone infinito até que se convença do que afirmo. Se não se convencer, ao menos convenha comigo que todos esses europeus foram uns grandessíssimos canalhões.)

— Minhas filhas já falam o alemão muito direitinho. Ontem entrei na Lirial com Maria Luísa... pois imagine que ela falou em alemão com a caixeirinha! Achei uma graça nela!... Fräulein é muito instruída, lê tanto! Gosta muito de Wagner, você foi no *Tristão e Isolda*? que coisa linda. Gostei muito. Também: quatrocentos mil réis por mês!

E continuava falando que Felisberto não se importava de gastar, contanto que os meninos aprendessem, etc.

De repente, Carlos começou a estudar o alemão. Em 15 dias fez um progresso danado. Quis propor mesmo um aumento nas horas de estudo, porém, não sabendo bem por quê, não propôs. Lhe interessava tudo o que era alemão, comprava revistas de Munique. Andava com elas na rua e depois vinha depressa entregá-las a Fräulein. Soube de cor a população da Alemanha, aspecto geral e clima. Até longitude e latitude, que não sabia bem o que eram. A potamografia alemã lhe era familiar, ah! os castelos do Reno... viver lá!... Seguia com interesse a ocupação da Alemanha pelos franceses. Aplaudia o procedimento da Inglaterra, país às direitas. Um dia afirmou no jantar que Goethe era muito maior que Camões, maior gênio de todos os tempos!

Tivera nesse dia uma cançãozinha de Goethe pra traduzir, história dum pastor que vivia no alto das montanhas. Se entusiasmara, lindíssimo! Decorava-a.

E falou pro pai que estava com vontade de aprender piano também.

Sousa Costa não dava atenção. Corresse o caso bem depressa! desejava. De quando em quando lhe roncavam azedos na ideia uns borborigmos de arrependimento.

Fräulein é que percebeu muito bem a mudança do rapaz, finalmente! Carecia agora se reter um pouco, mesmo voltar pra trás. Avançara por demais porque ele tardava. Devia guardar-se outra vez. As coisas principiam pelo princípio.

— Bom dia, Fräulein!

— Bom dia, Carlos.

— *Wie geht's Ihnen?*

— *Danke, gut.*

— Fräulein! vamos passear no jardim com as crianças!

— Não posso, Carlos. Estou ocupada.

— Ora, vamos! Maria Luísa também vai, ela precisa! Aldinha! Laurita! vamos passear no jardim com Fräulein!

— Vamos! Vamos! as crianças apareceram correndo.

— Vamos, hein!...

— Carlos, eu já disse que não posso. Vá você.

Levar as crianças no jardim... ora essa! ela não era ama-seca! Mas foi. É coisa que se ensine, o amor? Creio que não. Pode ser que sim. Fräulein tinha um método bem dela. O deus paciente o construíra, tal qual os prisioneiros fazem essas catitas cestinhas cheias de flores e de frutas coloridas. Tudo de miolo de pão, tão mimoso!

O amor deve nascer de correspondências, de excelências interiores. Espirituais, pensava. Os dois se sentem bem juntos. A vida se aproxima. Repartem-na, pois quatro ombros podem mais que dois. A gente deve trabalhar... os quatro ombros trabalham igualmente. Deve-se ter filhos... Os quatro ombros carregam os filhos, quantos a fecundidade quiser, assim cresce a Alemanha. De noite, uma ópera de Wagner. Brahms. Brahms é grande. Que profundeza, seriedade. Há concertos de órgão também. E a gente pode cantar em coro... Os quatro ombros frequentam a Sociedade Coral. Têm boa voz e cantam. Solistas? Só cantam em coro. *Gesellschaft.* Porém, isso é pra alemães, e pros outros? Sim: quase o mesmo... Apenas um pouco mais de verdade prática e menos Wagner. E o serviço dela entende só da formação dos homens. O homem tem de ser apegado ao lar. Dirige o sossego do lar. Manda. Porém sem domínio. Provê. É certo que a mulher o ajudará. O ajudará muito, dando algumas lições de línguas, servindo de acompanhadora pra ensaios na Panzschule, fazendo a comida, preparando doces, regando as flores, pastoreando os gansos alvos no prado, enfeitando os lindos cabelos com margaridinhas...

Fräulein engole quase um remorso porque se apanha a divagar. Queixumes do deus encarcerado. O homem-da-vida quer apagar tantas nuvens e afirma ríspido que não trata-se de nada disso: a profissão dela se resume a ensinar primeiros passos, a abrir olhos, de modo a prevenir os inexperientes da cilada das mãos rapaces. E evitar as doenças, que tanto infelicitam o casal futuro. Profilaxia. Aqui o homem-do-sonho corcoveia, se revolta contra a aspereza do bom senso e berra: Profilaxia, não! Porém deverá parolar, quando mais chegadinho o convívio, sobre essas "meretrizes" que chupam o sangue do corpo sadio. O sangue deve ser puro.

Vejam por exemplo a Alemanha, quedê raça mais forte? Nenhuma. E justamente porque mais forte e indestrutível neles o conceito da família. Os filhos nascem robustos. As mulheres são grandes e claras. São fecundas. O nobre destino do homem é se conservar sadio e procurar esposa prodigiosamente sadia. De raça superior, como ela, Fräulein. Os negros são de raça inferior. Os índios também. Os portugueses também.

Mas esta última verdade Fräulein não fala aos alunos. Foi decreto lido a vez em que um trabalho de Reimer lhe passou pelas mãos: afirmava a inferioridade dos latinos. Legítima verdade, pois quem é Reimer? Reimer é um grande sábio alemão. Os portugueses fazem parte duma raça inferior. E então os brasileiros misturados? Também isso Fräulein não podia falar. Por adaptação. Só quando entre amigos de segredo, e alemães. Porém os índios, os negros, quem negará sejam raças inferiores?

Como é belo o destino do casal superior. Sossego e trabalho. Os quatro ombros trabalham sossegadamente, ela no lar, o marido fora do lar. Pela boca da noite, ele chega da cidade escura... Vai botar os livros na escrivaninha... Depois vem lhe dar o beijo na testa... Beijo calmo... Beijo preceptivo... Todo de preto, com o alfinete de ouro na gravata. Nariz longo, quase diáfano, bem raçado... Todo ele é claro, transparente... Tossiria, arranjando os óculos sem aro... Tossia sempre... E a mancha irregular do sangue nas maçãs... Jantariam quase sem dizer nada... Como passara?... Assim, e ele?... Talvez mais três meses e termina o segundo volume de *O apelo da Natureza na poesia dos Minnesänger*... Lhe davam o lugar na Universidade... A janta acabava... Ele atirava-se ao estudo... Ela arranja de novo a toalha sobre a mesa... Temos concerto da Filarmônica amanhã. Diga o programa. *Abertura* de Spohr, a *Pastoral* de Beethoven, Strauss, *Hino ao Sol* de Mascagni e Wagner. A *Pastoral?* A *Pastoral*. Que bom. E de Wagner? *Siegfried-Idill* e *Götterdämmerung. Siegfried-Idill? Siegfried-Idill*. Ah! podiam dar a *Heroica*... Já ouvimos cinco vezes a *Pastoral*, este ano... podiam levar a *Heroica*... Mas a *Heroica*... Napoleão... Em todo caso a gente não pode negar: Napoleão foi um grande general... Morreu preso em Santa Helena.

Aqui Fräulein repara que aos poucos o homem-do-sonho se substituíra de novo ao homem-da-vida. É porque este aparece unicamente quando trata-se de viver, mover, agir. O outro é interior, eu já falei. Ora, pois o pensamento é interior, nem sequer é volição, que participa já do ato. O homem-da-vida age, não pensa. Fräulein está pensando. Nem o homem-da-vida, propriamente, lhe disse que ela ensina apenas os primeiros passos do amor, dá a entender isso apenas, pela maneira com que obstinada e mudamente se comporta. Franqueza: o que pratica é isso e apenas isso.

Porém vão falar a um alemão que ele traz consigo tal homem-da-vida... Energicamente negará, nunca morou nesta casa. E com razão. Reconhece o homem-do-sonho porque este pensa e sonha. Ora de verdadeiro, pro idealista, só o que é metafísico. As matérias são mudas, as almas pensam e falam. Tratando-se pois de amor-tese, teoria do amor, amorologia, é o prisioneiro paciente quem amassa o miolo de pão, esculpe e colore cestinhas lindas, pra enfeite do apartamento arranjado e limpo que Fräulein tem no pensamento.

A consciência, porém, que não é nem da vida nem do sonho e a Deus pertence, lhe mostra como atuou o homem-da-vida. Unicamente ensinou primeiros passos, abriu olhos. Foi prático. Foi excelente. Porém pra Fräulein tal virtude não basta, e a consequência é um remorso. Porém remorsico vago, muito esgarçado. E ela continuará divagando, divagando, açucaradamente divagando em seu pequeno pensamento. Assim enfeita os gestos do homem-da-vida com o sonho sério severo e simples, pra usar unicamente esses. E sonoro. *Wiegenlied*, de Max Reger, opus 76.

Langsam.

... O quartinho é escuro. Maria embala no bercinho pobre o filho recém-nascido. Janelas abertas, dando para a grande noite azulada, facilmente mística. Nascem do chão, saem pelas janelas as duas colunas inclinadas do luar. Verão. Silêncio. Murmúrio embaixo, longe, das águas sagradas do Reno. Respira-se possante, fecundo, imortal, o aroma do ventre de Erda. A canção é para criancinhas. E, como na cisma tudo é mistura e associação, à melodia de Reger vem continuar o *Lied*, de Körner:

"Geht zur Ruh!

Schlisst die muden Augen zu!

Stille wird es auf den Strassen

Nur den Wächter hört man blasen,
Und die Nacht ruft allen zu:
Geht zur Ruh!...”

A canção não é pra criancinhas? É. Soa severa, honesta, popular... A consciência de Fräulein adormece.

É coisa que se ensine, o amor? Creio que não. Ela crê que sim. Por isso não foi no jardim, deve se guardar. Quer mostrar que o dever supera os prazeres da carne, supera. Carlos desfolha uma rosa. Sob as glicínias da pérgola braceja de tal jeito que o chão todo se pontilha de lilá.

— Ih! vou contar pra mamãe que você está estragando as plantas!

— Não me amole!

— Amolo, pronto! Mamãe! Mamãe! Me largue! Feio! Mamãe!

— Me dá um beijo!

— Não dou!

— Dá!

— Mamãe! olhe Car-los! ai...!

Aldinha aos berros pela casa.

Ele não fez por mal, quis beijar e machucou. Aldinha chora. A culpa é de quem? De Carlos.

Carlos é um menino mau.

Fräulein fazia Maria Luísa estudar no piano pequenos Lieder populares dum livro em quarto com figuras coloridas. Lhe dava também pecinhas de Schubert e alegros de Haydn. Pra divertir, fez ela decorar uma transcrição fácil da “Canção da estrela”, do *Tannhäuser*. As crianças já cantavam em uníssono o *Tannenbaum* e um cantar de estrada mais recente, que pretendia ser alegre mas era pândego. Fräulein fazia a segunda voz. E falava sempre que não deviam cantar maxixes nem foxtrotes. Não entendia aquele sarapintado abuso da síncopa. *Auf Flugeln des Gesanges...* Ritmo embalador e casto. O samba lhe dava uns arrepios de espinha e uma alegria... musical? Desprezível. Só Wagner soubera usar a síncopa no noturno do Tristão.

Carlos também cantava o *Tannenbaum* mas desafinava. Não tinha voz nenhuma. Porém descobrira o perfume das rosas. Perfume sutil e fugitivo, ô! a boniteza das vistas!... Às vezes se surpreendia parado diante das sombras misteriosas. As tardes, o lento cair das tardes... Tristes. Surgia nele esse gosto de andar escoteiro, cismando. Cismando em quê? Cismando, sem mais nada. Devia de ter felicidades quentes além... Estava pertinho do suspiro, sem alegria nem tristeza, suspiro, no silêncio amigo do luar.

— Mamãe! olhe Carlos!

Fräulein tinha poucas relações na colônia, achava-a muito interesseira e inquieta. Sem elevação. Preferia ficar em casa nos dias de folga, relendo Schiller, canções e poemas de Goethe. Porém, com as duas ou três professoras a que mais se ligava pela amizade da instrução igual, discutia *Fausto* e *Werther*. Não gostava muito desses livros, embora tivesse a certeza de que eram obras-primas.

Também com essas amigas, alguns camaradas, um pintor, professores, saía nalgum domingo raro em piqueniques pelo campo. Às vezes também o grupo se reunia na casa de Fräulein Kothen, professora de piano, línguas e bordados. Depois do café embaçado com um pingo arisco de leite, a conversa mudava de alegria. Todos sinceros. E de Wagner, de Brahms, de Beethoven se falava.

Uma frase sobre Mahler associava à conversa a ideia de política e dos destinos do povo alemão, o tom baixava. O mistério penoso das inquietações baritonava aquelas almas, inchadas de amor pela grande Alemanha. Frases curtas. Elipses. Queimava cada lábio, saboroso, um gosto de conspiração. Que conspiram eles? Sossegue, brasileiro, por enquanto não conspiram nada. Mas a França... Tanta parolagem bombástica, Humanidade, Liberdade, Justiça... não sei que mais! e estraçalhar um povo assim... lhe dar morte lenta... Por que não matara duma vez, quando pediu armistício o invencido povo do Reno?... *Die Fluten des Rheines.*

Schutzen uns zwar, doch ach! Was sind nun Fluten und Berge...

Jenen schrecklichen Volke, das wie ein Gewitter daherzieht!...

Versos de Goethe não faltam na ocasião, fremiam de amor. Não conspiravam nada. Desconversava um pouco a sociedade, porém um pouco só, porque alimentava aqueles exilados a confiança do futuro. Por isso criticavam com justeza a figura do Kaiser. Todos republicanos. Porque a Alemanha era republicana. Mas ao concordarem que o Kaiser devia ter morrido, não é que ecoa na voz deles, insopitável, quase soluçante, o pesar por aquele rei amado, rei tão grande, morto em vida e de morte chué!

— Devia morrer!...

— Devia morrer.

Esconde as lágrimas, Fräulein. É verdade que são duas apenas. Os olhos vibram já de veneração e entusiasmo sem crítica: alguém no silêncio fala da vida e das obras de Bismarck. Frau Benn trouxe a cítara. Pois cantemos em coro as canções da velha Alemanha. Vibra a sala. O acorde admirável sobe lentamente, se transforma pesadamente, cresce, cresce, morre aos poucos no pianíssimo grave, cheio de unção.

Os homens cantavam melhor que as mulheres.

evara as meninas à missa. Ao voltar, por desfastio dominical, perturbara o sono egípcio da biblioteca de Sousa Costa, e viera pro jardim sob a pérgola, entender aplicadamente uma elegia de Camões. O sol de dezembro escaldava as sombras curtas. No vestido alvíssimo vinham latejar as frutinhas da luz. O rosal estalava duro, gotejando no ar um cheiro pesado que arrastava.

Carlos descera do bonde e entrava no jardim, vinha do clube. Fräulein viu ele chegar como sem ver, escondida na leitura. Ele hesitou. Enveredou pra pérgola.

— Bom dia, Fräulein!

— Bom dia, Carlos. Nadou muito?

— Assim.

Agora sorria com esse sorriso enjeitado dos que não agem claro e... procedendo mal? por quê! Passara a perna esquerda sobre a mesa branca, semissentado. Balançava-a num ritmo quase irregular. Quase. E olhava sobre a mesa uma folha perdida com que a mão brincava. Os desapontados se deixam olhar, Fräulein examinou Carlos.

Essa foi, sem que para isso tivesse uma razão mais forte, a imagem dele que conservaria nítida por toda a vida. O rapazinho derrubara o braço desocupado sobre a perna direita retesa. Assim, ao passo que um lado do corpo, rijo, quase reto, dizia a virilidade guapa duma força crescente ainda, o outro, apoiado na mesa, descansando quebrado em curvas de braço e joelho, tinha uma graça e doçura mesmo fémínea, jovialidade!

De repente entregou os olhos à moça. Trouxe-os de novo para a brincadeira da folha e da mão. Fräulein sabia apreciar tanta meninice pura e tão sadia. Felizes ambos nessa intimidade.

— Vou trocar de roupa!

Na verdade ele fugia. Não tinha ainda a ciência de prolongar as venturas, talvez nem soubesse que estava feliz. Fräulein sorriu pra ele, inclinando de leve a cabeça bruna manchada de sol. Carlos se afastou com passo marinheiro, balançando, bem apoiado no chão. A cabeça bem plantada na touceira do suéter. Entrou na casa sem olhar pra trás.

Mas Fräulein o enxerga por muito tempo ainda, se afastando. Vitorioso, sereno. Como um jovem Siegfried.

Depois do almoço as crianças foram à matinê do Royal. Estou falando do brasileiro. Fräulein acompanhou-as. Carlos acompanhou. Acompanhou quem?

— É! Você nunca vinha na matinê e agora vem só pra amolar os outros! Vá pro seu futebol que é melhor! Ninguém carece da sua companhia...

— Que tem, Maria, eu ir também!

— Olhe o automóvel como está! Machuca todo o vestido da gente!

Com efeito o automóvel alugado é pequeno pra cinco pessoas, se apertaram um pouco. E como são juntinhas as cadeiras do Royal!

Carlos não repara que tem entreatos nos quais os rapazotes saem pra queimar o cigarro, engolir o refresco. Se ele não fuma... Mas não tem rapazote que não goste de passar em revista as meninotas. Carlos não fuma. Se deixa ficar bem sentadinho, pouco mexe. Olha sempre pra diante fixo. Vermelho. Distraído. Isso: quebrado pelos calores de dezembro, nada mais razoável. O espantoso é perceber que ela derrubou o programa, ergue-o com servilidade possante.

— Está gostando, Fräulein?

Ao gesto de calor que ela apenas esboça, faz questão de guardar sobre os joelhos o jérsei verde. Tudo com masculina proteção. Isso a derreia. Como está quente! O certo é que o corpo dela ultrapassa as bordas da cadeira, todo o mundo se queixa das cadeiras do Royal. Há, talvez me engane, um contato. Dura pouco? Dura muito? Dura toda a matinê, vida feliz foge tão rápida!... Principalmente quando a gente acompanha uma senhora e três meninas. De repente Carlos quase abraça Fräulein, debruçando pra ver se do outro lado dela as irmãzinhas, portem-se bem, hein!... Compra balas. Ajuda as meninas a descer do automóvel na volta, e tão depressa que ainda paga o motorista antes de Fräulein, "eu que pago"! Subindo a escada, por que arroubos de ternura não sei, abraça de repente Maria Luísa, lhe afunda uns lábios sem beijo nos cabelos.

— Ai, Carlos! Não faça assim! Você me machuca!

Desta vez ele não machucou. Machucou sim. Porém nas epidermes da vaidade, que Maria Luísa se pensa mocinha e se quer tratada com distinção.

Porém o menino já está longe e agora havemos de segui-lo até o fim, entrou no quarto. Mais se deixou cair, sem escolha, numa cadeira qualquer, a boca movendo numa expressão de angústia divina. Quereria sorrir... Quereria, quem sabe? um pouco de pranto, o pranto abandonado faz vários anos, talvez agora lhe fizesse bem... Nada disso. O romancista é que está complicando o estado de alma do rapaz. Carlos apenas assunta sem ver o quadrado vazio do céu. Uma final, sublime, estranha sensação... Que avança, aumenta... Sorri bobo no ar. Pra não estar mais assim esfregando lentamente, fortemente, a palma das mãos uma na outra, aperta os braços entre as pernas encolhidas, musculosas. Não pode mais, faltou-lhe o ar. Todo o corpo se retesou numa explosão e pensou que morria. Pra se salvar, murmura:

— Fräulein!

Baixam rápidos do Empíreo os anjos do Senhor, asas, muitas asas. Tatalam produzindo brisa fria que refrigera as carnes exasperadas do menino. As massagens das mãos angélicas pouco a pouco lhe relaxam os músculos espetados, Carlos se larga todo em beata prostração. Os anjos roçam pela epiderme dele esponjas celestiais. Essas esponjas apagam tudo, sensações estranhas, ardências e mesmo qualquer prova de delito. Na alma e no corpo. Ele não fez por mal! são coisas que acontecem. Porém, apesar de sozinho, Carlos encafifou.

Acham muita graça nisso os anjos, lhe passando nos olhos aquela pomada que deixa seres e vida tal e qual a gente quer.

São Rafael nos céus escreve:

nº 9 877 524 953 407:

Carlos Alberto Sousa Costa.

Nacionalidade: *Brasileiro.*

Estado social: *Solteiro.*

Idade: *Quinze (15) anos.*

Profissão: (*um tracinho.*)

Intenções: (*um tracinho.*)

Observações extraordinárias: (*um tracinho.*)

"REGISTRO DO AMOR SINCERO."

Outro dia Fräulein voltou duma dessas reuniões na casa da amiga, com um maço de revistas e alguns livros. Um médico recém-chegado da Alemanha e convicto de Expressionismo lhe emprestara uma coleção de *Der Sturm* e obras de Schikele, Franz Werfel e Casimiro Edschmid.

Fräulein quase nada sabia do Expressionismo nem de modernistas. Lia Goethe, sempre Schiller e os poemas de Wagner. Principalmente. Lia também bastante Shakespeare traduzido. Heine. Porém Heine caçoara da Alemanha, lhe desagradava que nem Schopenhauer, só as canções. Preferia Nietzsche, mas um pouquinho só, era maluco, diziam. Em todo caso Fräulein acreditava em Nietzsche. Dos franceses, admitia Racine e Romain Rolland. Lidos no original.

Seguiu página por página livros e revistas ignorados. Compreendeu e aceitou o Expressionismo, que nem alemão medíocre aceita primeiro e depois compreende. O que existe deve ser tomado a sério. Porque existe. Aquela procissão de imagens afastadíssimas, e contínuo adejar por alturas filosóficas metafísicas, aquela eterna grandiloquência sentimental... E a síntese, a palavra solta desvirtuando o arrastar natural da linguagem... De repente a mancha realista, ver um bombo, pam! de chofre... Eram assim. Leu tudo. E voltou ao seu Goethe e sempre Schiller.

Se lhe dessem nova coleção de algum mensário inovador, mais livros, leria tudo página por página. Aceitaria tudo. Compreenderia tudo? Aceitaria tudo. Para voltar de novo a Goethe. E sempre Schiller.

O caso evolucionava com rapidez. Muita rapidez, pensava Fräulein. Mas Carlos era ardido, tinha pressa. Por outra: não é que tivesse pressa exatamente, porém não sabia somar.

A aritmética nunca foi propícia aos brasileiros. Nós não somamos coisa nenhuma. Das quatro operações, unicamente uma nos atrai, a multiplicação, justo a que mais raro frequenta os sucessos deste mundo vagarento.

De resto, nós já sabemos que Carlos estragava tudo. Castigos da multiplicação. Ele compreendeu enfim, devido àquele fato lamentável apagado pela esponja dos arcanjos, que gostava mesmo de Fräulein. Principiou não querendo mais sair de casa. De primeiro era o dia inteirinho na rua, futebol, lições de inglês, de geografia, de não-sei-que-mais e natação, tarde com os camaradas e inda por cima, depois da janta, cinema. Agora? Vive na saia de Fräulein. Sempre desapontado, que dúvida! porém na saia de Fräulein. Sorri aquele sorriso enjeitado, geralmente de olhos baixos, cheio de mãos. De repente fixa a moça na cara, destemido, pedindo. Pedindo o quê? Vencendo. Fräulein se irrita: sem-vergonha!

Mas na verdade Carlos nem sabia bem o que queria. Fräulein é que sentia-se quebrar. Tinha angústias desnecessárias, calores, fraqueza. Em vão o homem-do-sonho trabalhava teses e teorias. Em vão o homem-da--vida pedia vagares e método, que estas coisas devem seguir normalmente até o cume do Itatiaia.

— Fräulein, largue disso! Venha tocar um pouco pra mim!...

Voz queixosa. Voz cantante. Voz molenga.

— Não posso, Carlos. Preciso pregar estes botões.

— Ora, venha!... Você ensina piano pra mim, ensina?

— Carlos, não me incomode.

— Então me ensine a pregar botões, vá!... me dá a agulha...

— Você me perturba, menino!

— Perturba!... (risinho) Ora, Fräulein! perturba no quê! Imagine! estou perturbando Fräulein! (baixinho, churriando) toca, sim?... deixa de enjoamento!...

— Você é impossível, Carlos.

Ia pro piano. Folheava os cadernos sonoros. Atacava, suponhamos, a op. 81 ou os *Episoden*, de Max Reger. Tocava aplicadamente, não errava nota. Não mudava uma só indicação dinâmica. Porém fazia melhor o diminuendo que o crescendo...

Carlos muito atento, debruçado sobre o piano. Na verdade ele não escutava nada, todo olhos para a pianista, esperando o aceno dela pra virar a página. Pouco a pouco — não ouvia, mas a música penetrava nele — pouco a pouco sentia pazes imberbes. Os anseios adquiriam perspectivas. Nasciam espaço, distâncias, planos, calmas... Placidez.

Fräulein para e volta pra costura. Carlos solitariamente macambúzio, sem pensar em nada, se afasta. Jardim. Passeia as mãos amputadas pelas folhagens e flores. Agora não estraga mais nada. Considera o céu liso. Não está cansado. Incapaz de fazer coisa alguma. Maria Luísa passa, ele estira a perna. Movimento reflexo e pura memória muscular. Maria Luísa se viu obrigada a pular.

— Conto pra mamãe, bruto!... Vá bulir com Fräulein!

Ele apenas sorri, na indiferença. Não quer agir, não sente o gosto de viver. Fosse noutro momento, Maria Luísa não saía dali sem chorar. Porém, Carlos agora como que apenas se deixa existir. Existirá?

Aquilo dura tempo, bastante tempo.

Há todo um estudo comparativo a fazer entre a naftalina Max Reger e os brometos em geral.

Agora qualquer passagem mais pequena pro ditado. Estavam mais silenciosos que nunca. Prolongavam as lições e, pelas partes em que estas se dividiam, observavam machucados a aproximação do fim. No entanto eram horas de angústia aquelas! Em trinta dias partira esse bom tempinho de amor nascente, no qual as almas ainda não se utilizam do corpo. Porque nada sabem ainda. Os dois? Ponhamos os dois. Fräulein notava que desta feita era diferente. E quando a lição acabava, saindo da biblioteca, surpreendia os dois aquela como consciência de libertação, arre! mas se fosse possível renovariam a angústia imediatamente, era tão bom!

Fräulein folheou o livro. A página cantou uns versos de Heine. Servia.

— Esta.

Carlos voz grave, quase lassa murmurou:

"Du schönes Fischermädchen
Treibe den Kahn ans Land;
Komm zu mir und setze dich nieder,
Wir kosen, Hand in Hand.
"Leg'an mein Herz dein Köpfchen
Und furcht dich nicht so sehr;
Vertraust du dich doch sorglos
Taglich dem wilden Meer!
"Mein Herz gleicht ganz dem Meere,

Hat Sturm und Ebb und Flut,
Und manche schöne Perle
In seiner Tiefe ruht."

— Entendeu, Carlos?

Ela repetia sempre "Carlos", era a sensualidade dela. Talvez de todos... Se você ama, ou por outra se já deseja no amor, pronuncie baixinho o nome desejado. Veja como ele se moja em formas transmissoras do encosto que enlanguesce. Esse ou essa que você ama se torna assim maior, mais poderoso. E se apodera de você. Homens, mulheres, fortes, fracos... Se apodera.

E pronunciado, assim como ela faz, em frente do outro, sai e se encosta no dono, é beijo. Por isso ela repete sempre, como de já hoje, inutilmente:

— Entendeu, Carlos?

E ele jogando um dos tais risinhos alastrados com que desaponta sempre:

— Quase! mas adivinhei!

Eis aí uma das coisas com que Fräulein não se dava bem. Pra ela era preciso entender sempre o significado das palavras, senão não compreendia mesmo. Estes brasileiros?!... Uma preguiça de estudar!... Qual de vocês seria capaz de decorar, que nem eu, página por página, o dicionário de Michaelis pra vir para o Brasil? não vê! Porém quando careciam de saber, sabiam. Adivinhavam. Olhe agora: Que podia Carlos entender, se ignorava o sentido de muitas daquelas palavras? Ríspida:

— Então diga o que é.

O menino, meio enfiado, vai vivendo:

—É que eles ficaram sentados na praia, de mãos dadas muito juntinhos. Depois ele deitou a cabeça no ombro dela. (Carlos abaixava a dele e já não ria.) Depois... (lhe deu aquela vergonha de saber o que não sabia. Ficou muito azaranzado.) A segunda estrofe não entendo nada. *Vertraust...* quê que é *vertraust*!... Mas depois o coração deles principiou fazendo que nem o mar...

— Deles não, Carlos. Dele só.

— Deles! *Ganz*: todos! Aqui quer dizer dos dois, dela também!

— Você está adivinhando, Carlos! *Mein Herz*, o coração dele parecia com o mar. *Ganz gleicht*: parecia, era como, tal e qual.

— Hmm...

Desconsolado. Sensação de pobreza, isolamento...

— Não sei mais!

Ela, muito suave, extasiada:

— Você está falando certo, Carlos! Continue!

— O coração dele estava tal e qual o mar... Em tempestade...

E de repente transfigurado, numa confissão de olhos úmidos, arrebatou todos os símbolos murmurando:

— Mas ele tinha muitas *péloras* no coração!

Queria dizer pérolas porém saiu *péloras*, o quê que a gente há de fazer com a comoção!

Fräulein ríspida:

— Escreva agora.

Ríspida, porque de outro jeito não se salvava mesmo. Careceria pra abafar o... desejo? desejo, tampar o peito com a cabeça dele. Pampampam... acelerado. Lhe beijar os cabelos, os olhos, os olhos, a testa, muito, muito, muito... Sempre! Ficarem assim!... Sempre... Depois ele voltava do trabalho na cidade escura... Depunha os livros na escrivaninha... Ela trazia a janta... Talvez mais três meses, pronto o livro sobre *O apelo da Natureza na obra dos Minnesänger*... Comeriam quase em silêncio...

Carlos também estava escrevendo letras muito alheias. Era uma angústia cada vez mais forte, intolerável já. Como respirar? Pérolas... Pra que pérolas!... que ideia de Heine! A hora ia acabar... As letras se desenhavam mais lentas, sem gosto, prolongando a miséria e a felicidade. A fala de Fräulein, seca, riscava as palavras do ditado em explosões ácidas navalhando a entressombra. Acabava desoladamente:

— ... *Tiefe ruht*.

Se levantou libertada. Porém no papel surgia em letras infelizes, "*tiefe ruth*", e deu-se então que Fräulein não pôde mais consigo. Se despejou sobre o menino, com o pretexto de corrigir:

— Vou escrever com a mão de você mesmo — disfarçou.

O rosto se apoiou nos cabelos dele. Os lábios quase que, é natural, sim: tocaram na orelha dele. Tocaram por acaso, questão de posição. Os seios pousaram sobre um ombro largo, musculoso, agora impassível escutando. Chuvarada de ouro sobre a abandonada barca de Dânae... Carlos... êta arroubo interior, medo? vergonha? aterrorizado! indizível doçura... Carlos que nem pedra. Fräulein com a mão dele escreveu em letras palhaças: "*Tiefe ruht*."

Não tinham mais nada pra se falar, não tinham.

Quando saíram da biblioteca, pela primeira vez, uma desesperada felicidade de acabar com aquilo.

Porém só Carlos desta vez é que não sabia direito o que era o "aquilo".

Pancadas na porta de Fräulein. Virou assustada, resguardando o peito. Abotoava a blusa:

— Quem é?

— Sou eu, Fräulein. Queria lhe falar

Abriu a porta, e dona Laura entrou.

— Queria lhe falar. Um pouco...

— Estou às suas ordens, minha senhora.

Esperou. Dona Laura mal respirava muito nervosa, não sabendo principiar.

— É por causa do Carlos...

— Ah... Sente-se.

— Não vê que eu vinha lhe pedir, Fräulein, pra deixar a nossa casa. Acredite: isto me custa muito porque já estava muito acostumada com você e não faço má ideia de si, não pense! mas... Creio que já percebeu o jeito de Carlos... ele é tão criança!... Pelo seu lado, Fräulein, fico inteiramente descansada... Porém esses rapazes... Carlos...

— Já vejo que o senhor seu marido não lhe disse o que vim fazer aqui.

Dona Laura teve uma tontona, escancarou olhos parados:

— Não!

— É lamentável, minha senhora, o procedimento do senhor seu marido, evitaria esta explicação desagradável. Pra mim. Creio que pra senhora também. Mas é melhor chamar o seu marido. Ou quer que desçamos pro hol?

Foram encontrar Sousa Costa na biblioteca. Ele tirou os olhos da carta, ergueu a caneta, vendo elas entrarem.

— O senhor me prometeu contar a sua esposa a razão da minha presença aqui. Lamento profundamente que o não tenha feito, senhor Sousa Costa.

Sousa Costa encafifou, desacochado por se ver colhido em falta. Riscou uma desculpa sem inteligência:

— Queira desculpar, Fräulein. Vivo tão atribulado com os meus negócios! Demais: isso é uma coisa de tão pouca importância!... Laura, Fräulein tem o meu consentimento. Você sabe: hoje esses mocinhos... é tão perigoso! Podem cair nas mãos de alguma exploradora! A cidade... é uma invasão de aventureiras agora! Como nunca teve! COMO NUNCA TEVE, Laura... Depois isso de principiar... é tão perigoso! Você compreende: uma pessoa especial evita muitas coisas. E viciadas! Não é só bebida, não! Hoje não tem mulher da vida que não seja eterômana, usam morfina... E os moços imitam! Depois as doenças!... Você vive na sua casa, não sabe... é um horror! Em pouco tempo Carlos estava sifilítico e outras coisas horríveis, um perdido! É o que eu te digo, Laura, um perdido! Você compreende... meu dever é salvar o nosso filho... Por isso! Fräulein prepara o rapaz. E evitamos quem sabe? até um desastre!... UM DESASTRE!

Repetia o "desastre" satisfeito por ter chegado ao fim da explicação. Passeava de canto a canto. Assim se fingem as cóleras, e os machos se impõem, enganando a própria vergonha. Dona Laura sentara numa poltrona, maravilhada. Compreendia! Porém não juro que compreendesse tudo, não. Aliás isso nem convinha pra que pudesse ceder logo. Fräulein é que estava indignada. Que diabo! atos da vida não é arte expressionista, que pode ser nebulosa ou sintética. Não percebera bem a claridade latina daquela explicação. O método germanicamente dela e didática habilidade no agir não admitiam tal fumarada de palavras desconexas. Aquelas frases sem dicionário nem gramática irritaram-na inda mais. Queria, exigia sujeito, verbo e complemento. Só uma coisa julgara perceber naquele ingranzéu, e, engraçado! justamente o que Sousa Costa pensava, mas não tivera a intenção de falar: pagavam só pra que ela se sujeitasse às primeiras fomes amorosas do rapaz.

Este circunlóquio das "fomes amorosas" fica muito bem aqui. Evita o "libido" da nomenclatura psicanalista, antipático, vago, masculino, e de duvidosa compreensão leitoril. As fomes amorosas são muito mais expressivas e não fazem mal pra ninguém. Isto é: vir na casa de Sousa Costa unicamente pra se sujeitar às tais de Carlos, o homem-do-sonho de dentro de Fräulein vê nisso um insulto, dá uns urros e principia chorando. Sem um gesto, bem plantadinha nos pés, com a nobreza que a indignação nunca negou a ninguém, Fräulein discursa:

— Não é bem isso, minha senhora. — Se dirigia a dona Laura, porque o homem-da-vida estava um pouco amedrontado com os modos de Sousa Costa. E também, sejamos francos, isto é, parece... será que conservava uma esperancinha? Aquilo inda podia se arranjar... Homem! ninguém o saberá jamais... — Não é bem isso, minha senhora. Não sou nenhuma sem-vergonha nem interesseira! Estou no exercício duma profissão. E tão nobre como as outras. É certo que o senhor Sousa Costa me tomou pra que viesse ensinar a Carlos o que é o amor e evitar assim muitos perigos, se ele fosse obrigado a aprender lá fora. Mas não estou aqui apenas como quem se vende, isso é uma vergonha!

— Mas Fräulein não tive a intenção de!

— ... que se vende! Não! Se infelizmente não sou mais nenhuma virgem, também não sou... não sou nenhuma perdida.

Lhe inchavam os olhos duas lágrimas de verdade. Não rolavam ainda e já lhe molhavam a fala:

— ... E o amor não é só o que o senhor Sousa Costa pensa. Vim ensinar o amor como deve ser. Isso é que eu pretendo, *pretendia* ensinar pra Carlos. O amor sincero, elevado, cheio de senso prático, sem loucuras. Hoje, minha senhora, isso está se tornando uma necessidade desde que a filosofia invadiu o terreno do amor! Tudo o que há de pessimismo pela sociedade de agora! Estão se animalizando cada vez mais. Pela influência às vezes até indireta de Schopenhauer, de Nietzsche... embora sejam alemães. Amor puro, sincero, união inteligente de duas pessoas, compreensão mútua. E um futuro de paz conseguido pela coragem de aceitar o presente.

Rosto polido por lágrimas saudosas, quem vira Fräulein chorar!...

— ... É isso que eu vim ensinar pra seu filho, minha senhora. Criar um lar sagrado! Onde é que a gente encontra isso agora?

Parou arfando. "Lar sagrado" lhe fizera resplandecer o castanho dos olhos num lumeiro de anseios. Se aproximava da santa sob a figura enérgica da enfermeira. Mas convicção protestante, nobilíssima não discuto, porém sem a latinidade que dá graça e objetiva o calor da beleza sensual. Lembrou, ainda outra vez indignada:

— Foi isso que vim ensinar a seu filho e não: me entregar! Mas vejo que sou tomada por outra mulher aqui. Deixarei a sua casa amanhã mesmo, minha senhora. E penso que não tem mais nada pra me dizer?...

É certo que Fräulein tinha esclarecido muito o que viera fazer na casa deles, porém dona Laura, que tinha percebido tudo com a explicação de Felisberto, agora não compreendia mais nada. Afinal: o que era mesmo que Fräulein estava fazendo na casa dela!

Fräulein esperou um segundo. Nada tinham para lhe falar aqueles dois. Cumprimentou e saiu. Subiu pro quarto. Fechou-se. Tirou o casaco. O pensamento forte imobilizou-a. Comprimiu o seio com a mão, ao mesmo tempo que amarfanhava-lhe a cara uma dor vigorosa, incompreendida assim! Mas foi um minuto apenas, dominou-se. Tinha que despir-se. Continuou se despindo. E Carlos?... Minuto apenas. Varreu o carinho. Prendeu com atenção os cabelos. Lavou o rosto. Se deitou. Um momento no escuro, os olhos inda pestanejaram pensativos. Não tinha nada com isso: haviam de lhe pagar os oito contos. Mas agora tinha que dormir, dormiu.

Aquilo de Fräulein falar que "hoje a filosofia invadiu o terreno do amor" e mais duas ou três largadas que escaparam na fala dela, só vai servir pra dizerem que o meu personagem está mal construído e não concorda consigo mesmo. Me defendo já.

Primeiro: Que mentira, meu Deus! dizerem Fräulein, personagem inventado por mim e por mim construído! não construí coisa nenhuma. Um dia Elza me apareceu, era uma quarta-feira, sem que eu a procurasse. Nem invocasse, pois sou incréu de mesas volantes e de médiuns dicazes. Aquelas não valem um tangará. Quanto a médiuns dicazes — adjetivo bonito!— é sabido que escrevem sonetos de Bilac mais piores que um dístico de versejadores de terceira plana. Ora, se os vates de segundo grau já são cacetes, se imagine o que não engendra a facúndia sonâmbula dos médiuns e dos espiritistas em geral! Dicazes.

Um dia, era uma quarta-feira, Fräulein apareceu diante de mim e se contou. O que disse aqui está com poucas vírgulas, vernaculização acomodatícia e ortografia. Os personagens, é possível que uma disposição particular e momentânea do meu espírito tenha aceitado as somas por eles apresentadas, essa toda a minha falta. Porém asseguro serem criaturas já feitas e que se moveram sem mim. São os personagens que escolhem os seus autores e não estes que constroem as suas heroínas. Virgulam-nas apenas, pra que os homens possam ter delas conhecimento suficiente.

Segunda e mais forte razão: afirmarem que Fräulein não concorda consigo mesma... Mas eu só queria saber neste mundo misturado quem concorda consigo mesmo! Somos misturas incompletas, assustadoras incoerências, metades, três-quartos e quando muito nove-décimos. Até afirmo não existir uma só pessoa perfeita, de São Paulo a São Paulo, a gente fazendo toda a volta deste globo, com expressiva justeza adjetivadora, chamado de terráqueo.

Mesmo cientistas já afirmaram isso também. Desde Gley, Chevalier e Fliess se desconfia que de primeiro os seres foram hermafroditas. Antes desses senhores, Darwin estivera escrevendo coisas pros leitores inteligentes do tal de globo terráqueo e desde então se começou falando em seleção e outras espertezas que permitiram este saborosíssimo cisma em seres imperfeitos machos e fêmeas imperfeitas. Que invento admirável o cisma!

Pouco depois da *Origem das espécies*, nasceu na Alemanha uma criancinha. Mamava que nem as outras, berrava sonoramente e trocava os dias pelas noites pra dormir.

Como desse em seguida pra escrever coisas espantosas, os alemães principiaram lhe chamando *Herr* Professor Freud. Pois não é que essa criancinha inda veio fortificar mais as escrituras de Fliess, de *Kraff-Ebbing*, sobre a nossa imperfeita bizarria! Afirmou que uma certa porção de hermafroditismo anatômico é ainda normal na gente! Incrível! Incrível e desagradável.

A tanta ciência e tão pouca anatomia, eu prefiro aquela ideia contada pelo padre Pernetty:

"Les femmes ont plus de pituite et les hommes plus de bile... Certains philosophes ne craindraient pas d'afirmer que les femmes ne sont femmes que par un défaut de chaleur." E se quiserem coisa ainda mais grata, é lembrar a fábula discreta contada por Platão no *Banquete*... Porém o que importa são as afirmativas daqueles alemães sapientíssimos, aqui evocados para validar a minha asserção e lhe dar carranca científico-experimental:

NÃO EXISTE MAIS UMA ÚNICA PESSOA INTEIRA NESTE MUNDO E NADA MAIS SOMOS QUE DISCÓRDIA E COMPLICAÇÃO.

O que chama-se vulgarmente personalidade é um complexo e não um completo. Uma personalidade concordante, milagre! Pra criar tais milagres o romance psicológico apareceu. De então, começaram a pulular os figurinos mecânicos. Figurinos, membros, cérebros, fígados de latão, que, por serem de latão, se moveram com a vulgaridade e a gelidez prevista do latão.

Oh! positivistas da fantasia! oh ficções monótonas e resultados já sabidos!... Fräulein é senhorinha modesta e um pouco estúpida. Não é dama nem padre de Bourget. Pois uma vez em defesa própria afirmou: "Hoje a filosofia invadiu o terreno do amor", que surpresa pra nós! Ninguém esperava por isso, não é verdade? Daí uma sensação de discordância, eminentemente realista.

Eu sempre verifiquei que nós todos, os do excelente mundo e os da ficção quando excelente, temos os nossos gestos e ideias geniais... Pois tomemos essa frase de Fräulein por uma ideia genial que ela teve. E tanto assim que produziu uma surpresa nos leitores e outra em Sousa Costa e dona Laura. De tal força que os abateu. Estão, faz quase um minuto, mudos e parados. Sousa Costa olha o chão. Dona Laura olha o teto. Ah! criaturas, criaturas de Deus, quão díspares sois! As Lauras olharão sempre o céu. Os Felisbertos, sempre o chão. Alma feminina ascensional... É o macho apegado às imundícies terrenas. Ponhamos imundícies terráqueas.

— Mas Laura você devia ter falado comigo primeiro!

— Mas quando é que eu havia de imaginar!... A culpa foi de você também!

— Ora essa é boa! eu fiz o que devia! E agora ela vai-se embora!

A lembrança de que Fräulein partia lhes deu o sossego desejado. O mal foi dona Laura acentuar:

— E ele é tão criança!

— Tão criança? você não vê como ele está!

Sousa Costa não vira quase nada ou coisa nenhuma, o argumento porém era fortíssimo.

— Pois eu lamento profundamente que Fräulein vá embora, Carlos me preocupa... Está aí o filho do Oliveira! E tantos!... Eu não queria que Carlos se perdesse assim!

Viram imediatamente o menino mais que trêmulo, empalamado, bêbedo e jogador. Rodeavam-no, ponhamos, três amantes. Uma era morfinômana, outra eterômana, outra cocainômana, os dois cônjuges tremendo horrorizados. Carlos desencabeçara duma vez. Nojento e cachorro. E o imenso amor verdadeiro por aquele primogênito adorado cresceu dentro deles estrepitosamente. Dona Laura abaladíssima desafogava as memórias:

— Você não imagina... passa o dia inteiro junto de Fräulein. Dela não me queixo, não... se porta muito discretamente. Eu seria incapaz de adivinhar!... As crianças têm progredido muito... Maria Luísa já fala bem o alemão... Pois até elas já perceberam! Você sabe o que são essas crianças de hoje! toda hora mandam Carlos ir bulir com Fräulein!

Sousa Costa gostou da inteligência das filhas.

— É!... Pestinhas!

Depois se assustou. Crianças não devem saber dessas coisas, principalmente meninas. Lembrou remédio decisivo:

— Você proíba elas de falarem isso! ah, também agora Fräulein parte!... Acaba-se com isto!

Suspirou. A ideia de que Fräulein partia lhes deu o desassossego.

— A história é Carlos...

— Eu também tenho medo...

— Laura, as coisas hoje têm de ser assim, a gente não pode mais proceder como no nosso tempo, o mundo está perdido... Olhe: contam tantas desses rapazes... Não se sabe de nenhum que não tenha amante! E vivem nos lupanares! Jogadores! isso então? não tem um que não seja jogador!... Eu também não digo que não se jogue... afinal... Um pouco... de noite... depois do jantar... não faz mal. E quando se tem dinheiro, note-se! E juízo. Essa gente de hoje?!... Depois dão na morfina, é o que acontece! Veja a cor do filho do Oliveira! aquilo é morfina!

— Carlos...

Sousa Costa se extasiando com o discurso:

— Fräulein preparava ele. Depois isso não tem consequência... Quem me indicou Fräulein foi o Mesquita. O Zezé Mesquita, você conhece, ora! aquele um que mudou-se pro Rio o ano passado...

— Sei.

— Se utilizaram dela, creio que pro filho mais velho. E o pior perigo é a amante! São criançolas, levam a sério essas tolices, principiam dando dinheiro por demais... e com isso vêm os vícios! O perigo são os vícios! E as doenças! Por que esses moços andam todos desmerecidos, moles?... Por causa das amantes! e depois você pensa que Carlos, se não tivesse Fräulein, não aprendia essas coisas da mesma forma? aprendia sim, senhora! Se já não aprendeu!... E com quem! Bom! o melhor é não se falar mais nisso, até me dá dor de cabeça. Está acabado e pronto.

Porém agora os dois convencidíssimos de que aquilo não devia acabar assim. Aliás, a convicção se firmara desde que Sousa Costa empregara, por reminiscências românticas, a palavra "lupanar". Eu já falei que toda a gente tem ideias geniais. Careciam de Fräulein. Pra sossego deles, Fräulein devia ficar.

— Quem sabe... você falando com ela... ela ficava...

— Eu acho melhor, Laura. Francamente: acho. Fräulein falava tudo pra ele, abria os olhos dele e ficávamos descansados, ela é tão instruída! Depois pregávamos um bom susto nele. (Se ria.) Ficava curado e avisado. Ao menos eu salvava a minha responsabilidade. Depois, não é barato não! tratei Fräulein por oito contos! Sim, senhora: oito contos, fora a mensalidade. Naturalmente não barateei. Mais caro que o Caxambu que me custou seis e já deu um lote de novilhas estupendas. Mas isso não tem importância, o importante é o nosso descanso.

Pausa.

— Você proíba as crianças de falarem mais nisso...

— Pois é. Talvez ela fique... Você fala com ela amanhã...

Se ergueram. Entraram no hol. Mas aquilo continuar... Era bem melhor que Fräulein partisse. E depois, ora! ele que se arrume! boa educação tivera, exemplos bons em casa... E o mundo não era tão feio como parecia. Nem Carlos nenhum arara... E as crianças já tinham percebido... que espertas!

Avançavam no peso do ambiente. Dona Laura estava pensando também assim mais ou menos. Apesar disso, largou mais uma vez, arrependida já do que falava:

— Amanhã você fala com ela... Talvez ela resolva ficar...

Mas Sousa Costa já não estava mais querendo que Fräulein ficasse e teve um argumento ótimo:

— Ah! mas, eu falar?!... Preferível você! Vocês são mulheres, lá se entendam!

— Mas eu estou envergonhadíssima com ela, Felisberto! Com que cara agora vou pedir pra ela ficar!

— Por isso mesmo! Você arranjou o embrulho...

— Como você está áspero hoje!

— Mas você compreende que uma coisa destas não é nada agradável pra mim!

— Nem pra mim, então!... Sabe duma coisa? se quiser falar com ela, fale, eu não falo! O que eu posso é depois pedir desculpas pra ela... E também não quero saber mais disso, lavo minhas mãos. Você é que acha melhor Fräulein ficar...

Sousa Costa positivamente não achava melhor Fräulein ficar. Porém tinha achado. Enfiou as mãos nos bolsos e convicto:

— Eu... eu acho, sim. Falo com ela amanhã.

Exaustos, mortalmente tristes, os cônjuges vão dormir.

Duas horas da manhã. Vejo esta cena.

No leito grande, entre linhos bordados dormem marido e mulher. As brisas nobres de Higienópolis entram pelas venezianas, servilmente aplacando os calores do verão. Dona Laura, livre o colo das colchas, ressona boca aberta, apoiando a cabeça no braço erguido. Braço largo, achatado, nu. A trança negra flui pelas barrancas moles do travesseiro, cascateia no álveo dos lençóis. Concavamente recurvada, a esposa toda se apoia no esposo dos pés ao braço erguido. Sousa Costa completamente oculto pelas cobertas, enrodilhado, se aninha na concavidade feita pelo corpo da mulher, e ronca. O ronco inda acentua a paz compacta.

Estes dois seres tão unidos, tão apoiados um no outro, tão Báucis e Filamão, creio que são felizes. Perfeitamente. Não tem raciocínio que invalide a minha firme crença na felicidade destes dois cidadãos da República. Aristóteles... me parece que na *Política* afirma serem felizes os homens pela quantidade de razão e virtude possuídas e na medida em que, por estas, regram a norma do viver... Estes cônjuges são virtuosos e justos. Perfeitamente. Sousa Costa se mexe. Tira um pouco, pra fora das cobertas, algumas ramagens do bigode. Apoia melhor a cara no sovaco gorducho da esposa. Dona Laura suspira. Se agita um pouco. E se apoia inda mais no honrado esposo e senhor. Pouco a pouco Sousa Costa recomeça a roncar. O ronco inda acentua a paz compacta. Perfeitamente.

Quando veio para o café, na hora de sempre, suponho que Sousa Costa e mulher inda dormiam. Justíssimo. Reparavam o esforço gasto. Não encontrou ninguém e Tanaka se aproveitou disso pra servi-la mal. Fräulein nem pôs reparo na escaramuça do japonês. Pensava. Isto é... Pensaria?

Estava muito pouco Fräulein no momento. Porque Fräulein, a Elza que principiou este idílio era uma mulher feita que não estava disposta a sofrer. E a Fräulein deste minuto é uma mulher desfeita, uma Fräulein que sofre. Fräulein sofre. E porque sofre, está além de Fräulein, além de alemã: é um pequenino ser humano.

Por isso turtuviei no falar que ela pensava: ela sofre. Não pensa bem porque sente demais. Acumula apenas farrapos de pensamentos. Farrapos não! palavra que insulta... Lembra Bethmann Holweg. Que culpa Fräulein tem dos "farrapos de papel" de Bethmann Holweg? Nenhuma. Retiremos os farrapos. Ela apenas acumula, ponhamos, migalhas de pensamentos, não, antes prelúdios de pensamentos, que fica mais musical. Simultâneos brotam na consciência dela desenhos inacabados, isto é, prelúdios de ideias. Umas dolorosas, outras dolentes, outras macabras. Até? Até macabras, *zum Henker!* Um chacoalhar de ossos mal presos, anuncia que por detrás a morte passa calçuda e masculina pros que pensam em alemão, *der Tod...*

Esse esgotar lento e invisível de forças e gastar de tentativas dia a dia... Súbito: que cansaço! ah!... Não melhora mesmo! E achará casamento?... Brigando, se aviltando por oito contos... Tanaka... *Correio Paulistano...* Se aviltando, não. Abandonava Carlos... Isto lhe doía, doía, não nega, não.

E aonde ir agora?... Quartinho de pensão... E nova espera... Mal e mal ia dobrando os vestidos retirados do guarda-roupa, abria malas. Recordava em corisco os dinheiros ajuntados... H. Blumenfeld & Comp., do Rio de Janeiro... É certo que podia em breve descansar... Ai... Casava... De tarde ele voltava do trabalho... Jantavam... Muito magro, óculos sem aro... A *Pastoral*? A *Pastoral...* Universidade... Assim mesmo, o Brasil não fora muito propício pra ela, não... *Frau* Benn pedira de emprestado sessenta mil réis... Imaginava bem mais fáceis progressos ao abordar imigrante a terra americana... Passara uma vez quase dois anos sem encontrar o trabalho dela, de casa em casa, professora de alemão e piano...

E devia se calar. Se acaso se propunha a algum chefe de família, a recusa vinha logo... Ríspida. Falta de entendimento e de prática... Deste povo inteiro. E era sempre aquilo: no outro dia a dona da casa vinha muito sáxea e... Mas é mesmo possível que uma pessoa olhe pros outros de cima, altivamente?... Só porque tinha dinheiro?... Lhe entregava o envelope com a mensalidade. Isso quando não descontavam as lições que inda faltava dar... Agora os meninos iam descansar um pouco; mais tarde, quando fosse pra recomeçar, avisariam... Pra que mentir?... Preciso comprar meias brancas. Como eram complicados os latinos. Cansativos.

Fräulein achava desnecessária tanta mentirada, e bobo tanto preconceito. De primeiro isso irritava bastante o deus encarcerado, e era um berreiro de atordoar dentro do corpo dela. Achava que o ideal da honra era repetir aquela frase que Schiller botara na boca de Joana D'Arc: "Não posso aparecer sem minha bandeira", ser sincera. Mas qual, as mães brasileiras, quando se tratava dos filhos, eram pouco patriotas, Fräulein fora obrigada a guardar a bandeira. E não sei se o deus encarcerado acabou se adaptando também, sei é que não fez mais chinfrim.

Só ficou aquele pensamento de que podia ser bem mais sincera na Europa. E na Alemanha então?... Porém sofria-se muito agora lá, e Fräulein não gostava de sofrer. As notícias chegavam cada vez mais tristes. A última carta do irmão eram dois braços implorantes pra América... América desilusória. Afinal nem tanto assim, não se morria de fome, trajava boas fazendas. Sobretudo comia bem.

Fräulein começou arranjando com mais atenção os vestidos. Porém sabia que, chegando a hora de descansar, só lhe seria possível o sossego na velha pátria alemã.

— Patrão está chamando.

Esperança! Onde estava Sousa Costa? Correu pra porta.

— Tanaka...

Ninguém mais no corredor.

— Pöbel.

Se apressou diante do espelho, deu um toque nos cabelos, consertou a blusa. Sousa Costa, que estava esperando no hol, fez ela entrar na biblioteca.

— Fräulein... antes eu tenho de lhe apresentar as nossas desculpas. Laura não sabia de nada e foi precipitada. Ela é mãe, Fräulein... Mas está muito arrependida do que fez.

— Não tem dúvida, senhor Sousa Costa. O mal foi o senhor... É verdade que o senhor se esqueceu.

— Esqueci, Fräulein... esqueci. Tantos negócios! É impossível a gente se lembrar de tudo, mas Laura fez mal. Fräulein... há de concordar comigo... o que passou, passou, não é assim? Laura está convencida de que a senhora... Deve abandonar a ideia de ontem, Fräulein. Eu... nós lhe pedimos que fique.

— Mas, senhor Sousa Costa...

Esperou. Sousa Costa também esperou. Daí nascer um silêncio. Aproveitemo-lo pra observar o seguinte: Fräulein não hesitava, como fez parecer, queria ficar. Estava certa de ficar. Então por que hesitou? Porque é de praxe se fazer de rogada a pessoa vulgar. É uma prática boa de honestidade não voltar atrás sem muita insistência dos outros. Se compreende pois o abandono em que vive a bandeira de Joana D'Arc.

E por que Sousa Costa esperou? Porque a hesitação da moça lhe dava esperança nova, se ela recusasse... Que bom! acabava-se com aquilo! Que eram oito contos pra ele! Nada. Por isso não insistiu, esperou. Porém ela foi mais forte. Ascendência de raça superior. Sousa Costa principiou tendo vergonha do silêncio. Ascendência de boa educação. Insistiu:

— Desista de partir, Fräulein.

— É que...

Agora Sousa Costa se calou duma vez, cumprira com o dever. Assim ela não se dobrasse às razões que ele dera!... Fräulein não percebeu isso, mas ficou com medo de hesitar mais, ele podia aceitar aquilo como recusa. E devemos ser francos nesta vida, sempre fora simples e franca. Se aceitava, devia falar que aceitava e deixar-se de candongas. Sempre fora como a Joana de Schiller que não podia aparecer sem a bandeira dela. Emendou logo:

— Bom, senhor Sousa Costa. Como o senhor e sua esposa insistem, eu fico.

Ora, Fräulein, vá saindo! ninguém insistiu tanto assim. Não, é certo que Sousa Costa e dona Laura insistiram, esta com o marido e ele com Fräulein. Mas por que insistiram, se não queriam? Ninguém o saberá jamais. Insistiram, simplesmente. Fräulein é que ficará por causa da insistência. Por causa disso. Será melhor dizer que por adaptação. Isso: por adaptação. Também se pode pensar no desejo vigiando... sensualidades... Vamos pra diante.

Como tombam as expectativas! A alma espera. A postura da espera é estar suspensa, e a alma parece então um pinheiro do Paraná, todos os ramos em corimbo, erguidos pra cima. Os ramos se sustentam muito bem, ascendendo pro alto, expectantes. Enrija-os a seiva da esperança, que é forte. Mas eis que falha a expectativa. O pinheiro do Paraná vira pinheiro da Suécia. E os ramos descendentes, uns nos outros se apoiando, até que os mais de baixo se arrimam no chão.

O pinheiro da Suécia volta macambúzio pro quarto conjugal. Dona Laura, pinheiro do Paraná:

— Recusou?

— Aceitou.

Dona Laura, pinheiro da Suécia. Sousa Costa suspira e:

— Assim é melhor, Laura.

— Muito melhor, Felisberto.

Os dois agora estão convencidos de que o caso resolveu-se bem. Se Carlos se perdesse... Mas agora se salvará pois Fräulein fica. Os dois cônjuges se sentem descansadamente satisfeitos. Vão se vestir, vão viver. Que sossego esta vida boa!...

E que gostosura liquidar um caso! Quase todos conservam a impressão de ter vencido.

usto. Os temores entram saem pelas portas fechadas. Chiuiiii... ventinho apreensivo. Grandes olhos espantados de Aldinha e Laurita. Porta bate. Mau agouro?... Não... Pláaa... Brancos mantos... É ilusão. Não deixe essa porta bater! Que sombras grandes no hol... Por quês? tocaiando nos espelhos, nas janelas. Janelas com vidros fechados... que vazias! Chiuiiii... Olhe o silêncio. Grave. Ninguém o escuta. Existe. Maria Luísa procura, toda ouvidos ao zunzum dos criados. Por que falam tão baixo os criados? Não sabem. Espreitam. Quê que espreitam? Esperam. Quê que esperam?... Carlos soturno. Esta dorzinha no estômago... O inverno vai chegar...

Ninguém sabe de nada. Se ninguém não escutou nada! Mas a vida está suspensa nesse dia.

— Fräulein... que foi que houve, hein!

E ficou rubro, rubro da coragem.

— Quando, Carlos?

Ele envergonhadíssimo. E ela não ajudava, esperando... Por último inda repetiu, escangalhando o menino:

— Quando?

Ele mentiu:

— Pensei que você estava doente. Não me deu lição ontem...

— Estive doente, Carlos.

— Já sarou!...

— Já. Continue a lição, não houve nada. Futuro:

— *Ich werde gefallen...* Fräulein! Eu não quero que você saia daqui de casa!

Ela sorrindo pra refrescar o arroubo, oh! descansou a mão na dele.

— Não vou sair, Carlos, sossegue.

— *Ich werde gefallen, du wurdest gefallen...* — continuou, retirando a mão. Fräulein nem reparou que ele passava do futuro pro condicional: eu cairei, tu cairias se... etc. Ela estava pensando que carecia apressar e acabar com aquilo, senão. Chegou mais a cadeira por acaso. E o rapazinho continuava aos trambulhões, errando muito.

Último quarto da hora, o detestado. Carlos detestava o ditado e Fräulein também. O ditado? Não. O último quarto da hora. Por causa do ditado. Ou detestavam o ditado por ser no último quarto da hora?... Ninguém o saberá jamais.

Sobre a grande escrivaninha, legítimo liceu-de-artes-e-ofícios, o menino escrevia com lentidão. Hesitava mais que o necessário. Sucedia que então Fräulein se inclinava sobre ele pra ver as letras e corrigir, Fräulein era míope. Inclinava, se encostava toda nele e Carlos não gostava daquilo. Escritório úmido, frio, fechado no silêncio. Os últimos calores do outono derretiam a luz lá fora e esta, escorrendo pela janela entrecerrada, se coagulava no tapete. Dançarinamente na linfa luminosa a poeira.

Carlos não suportaria mais o mal-entendido, isso via-se. A angústia interior, imperiosa, aterrorizante, avisava-o também disso. Confessaria hoje agora já na lição. Será que Fräulein também percebera o desespero do menino? Auxiliava. A hora acabava. Carlos, respiração multiplicada sonora. E era verdade que esquecia-se das letras agora, *Sehnsucht* tinha agá ou não? Desejaria escrever rápido, acabar! correr ao sol noutro calor!... Fräulein, com o braço esquerdo no espaldar da cadeira de Carlos, ponhamos, nas costas do rapaz, se despejou sobre ele, amoldada:

— Deixe ver.

Deitou o braço direito sobre o dele, lhe segurando a mão, soerguendo-a do papel. Assim, não é pra intrigar, porém ele ficava abraçado. Abaixou a cabeça, querendo e não querendo, que desespero! era demais! se ergueu violento. Empurrou a cadeira. Machucou Fräulein.

— Não escrevo mais!

Ela ficou branca, tomou com um golpe. Custou o:

— Que é isso? Venha escrever, Carlos!

— Desse jeito não escrevo mais!

Abriu a luz da janela. Olhava pra fora, raivoso, enterrando virilmente as mãos nos bolsos do pijama, incapaz de sair daquela sala. Fräulein não compreendia. Estava bela. Corada. Os cabelos eriçados, metálicos. Doía nela o desejo daquele ingênuo, amou-o no momento com delírio. Revelação!

Todos os instintos baixos dela, por que baixos! todos os instintos altíssimos dela, guardados por horas... (altos ou baixos?... ninguém o saberá jamais!) guardados por horas, por dias, meses, surgiam somados numa carreira de estouro que só a exaustão pararia. E ele era mais forte, duma força de pureza! vencia. Se partisse, tudo acabado. Oh, não queria não! Vai falar pro pai, não sei... Mesmo que sofresse também, era capaz de trazer Maria Luísa pras lições... E nunca mais ficará só com ela, com aquela que desejava, que pedia de amor... Depois começaria a pensar nela... Aos poucos ei-la idealizada, lá longe...

Não! Assim Fräulein não queria! E não reparava que Carlos era muito quotidiano pra tais idealizações. Isso só prova que Fräulein era ruim observadora, nada mais. Ou por causa da ardência do instante. Aliás, já tinham ambos ultrapassado o pensamento de amor. Carlos não sairá daquela sala, assim, mãos nos bolsos, lábios pobres, alma interrogativa.

— Mas que modos são esses, Carlos.., Responda! — dolorida.

Ele deu um som muxoxado com a língua, sacudindo a cabeça recurva, balançando o corpo numa irritação motivada, sem nexo. Batia o calcanhar. Fräulein se aproximou. Que pedido sublime, murmurando aquele:

— Venha escrever...

— Não escrevo mais, já disse...

— Venha...

Tinha de ser a primeira a se confessar. Ela era a mais forte, da força de sabença. Teve tristeza por isso. Carlos por seu lado já estava mais calmo. A revolta lhe desagrupara os tais instintos altíssimos. Quando Fräulein toda entregue, amolecida, emoliente, lhe segurou no braço:

— Venha... Você me entristece, Carlos...

Ele não sentiu nada. Imaginou que estava tudo acabado e vencera-o. Opôs apenas por opor:

— Mas a hora já acabou...

— Não ainda!...

Voltaram pras cadeiras. Muito unidos agora. De propósito. Sabiam que estavam unidos de propósito. Amantes e confessados. *Sehnsucht* tinha agá.

— Ora, Carlos. Como é esse maiúsculo?

E como se afastara um pouco dele, no recuo parlamentar dos espantos, Carlos não pôde suportar o gozo perdido. Olhou pra ela e canalha, se rindo quase de vergonha, vencedor:

— Venha! Fique daquele jeito!

Enlaçava-lhe a cintura enfim, puxou-a. Botou a cara gostosa no colo dela, aonde nascem os aromas que atarantam. Lhe beijou as roupas. Depois sentiu um medo grande dela, vergonha desmedida, se refugiou dela nela. Sensualmente afundou olhos, nariz, boca, muita boca no corpo da querida. Pra se esconder. Fräulein sufocou-o contra o peito, com os seus braços enrolados.

Quando ele sentiu sobre os cabelos uma respiração quente de noroeste, principiou a imaginar e criticar. Criticar é comparar. Que gosto que teriam esses beijos do cinema? ergueu a cara. E, pois que era de novo o mais forte, beijou Fräulein na boca.

Das lombadas de couro, os grandes amorosos espiavam, Dante, Camões, Dirceu. Não digo que, pro momento fílmico do caso, estes sejam livros exemplares, porém asseguro que eram exemplares virgens. Nem cortados alguns. Não adiantavam nada, pois.

O caso é que Sousa Costa, escutando um amigo bibliófilo gabar exemplares caros, falara pra ele:

— Olha, Magalhães, veja se me arranja uns desses pra minha biblioteca.

Por isso é que possuía aquele Camões tão grande, aquela *Vita Nuova* em pergaminho, um Barlaeus e um Rugendas bom pra distrair as crianças, dia de chuva.

Ahn... ia me esquecendo de avisar que este idílio é imitado do francês de Bernardin de Saint-Pierre. Do francês. De Bernardin de Saint-Pierre.

Carlos esses três dias viveu? Eu não sei se alcançar a felicidade máxima, extasiar-se aí, e sentir que ela, apesar de superlativa, inda cresce, e reparar que inda pode crescer mais... isso é viver? A felicidade é tão oposta à vida que, estando nela, a gente esquece que vive. Depois quando acaba, dure pouco, dure muito, fica apenas aquela impressão do segundo. Nem isso, impressão de hiato, de defeito de sintaxe logo corrigido, vertigem em que ninguém dá tento de si. E fica mais essa ideia que retoma-se de novo a vida, que das portas do Paraíso Terrestre em diante é sofrer e impedimento só. Estou convencido: Carlos não viveu esses três dias.

Três, porque no quarto dia os arroubos se espevitaram tão alarmantemente que não puderam mais sujeitar-se ao âmbito social da biblioteca e na mesquinha hora de lição. Pra ele talvez tempo e ambiente pouco importassem, porém nós já sabemos que Fräulein tinha o gosto das metodizações, ali não. Carlos aceitando a mania dela, assim gemeu:

— Fräulein... eu queria te falar uma coisa...

Sem vergonha, sorria. E fechou os olhos encabulado. Se aninhara nos braços dela, pra com mais eficácia ordenar.

— Pois fale, Carlos.

— Aqui não!...

Estes paulistas falam muito devagar, escuta só como ele arrasta a voz:

— Aqui não... De repente a lição acaba e a gente carece de sair... Podem desconfiar!...

Fräulein muda.

Certas coisas são muito difíceis de falar, quando a gente tem uma quinzena de anos, não pensa nas consequências e a querida espera, muda. Carlos era inocente por demais para supor que Fräulein já. Senão desembuxava, qual desembuxava! agia. Porém como nada supunha, não teve coragem pra. Alçou o braço, puxou a cabeça dela, deu o beijo.

— Uhmm... — suspirou. E emudeceu. Silêncio. Principiou brincando com os dedos dela e muito baixo:

— Sim?...

— Sim o quê, Carlos?

— Ora!

De repente, se apertando nos braços dela:

— Ah, vamos! diga se eu posso ir falar com você!...

— Mas falar o quê, Carlos?

— Ahn...

Riu. Depois, cantando numa gaita desafinada:

— Você já sabe, agora!...

Fräulein teve uma dor toda machucada, teve raiva, empurrou Carlos.

— Vamos embora.

— Nãão!...

— Me largue. A hora já acabou.

— Mais um poucadinho!

— Não me aperte assim!

— Dá um beijo!

— Que men...

— Só um... último!

Vencida.

— Hoje?...

— Não me amole!

— Hoje, ouviu.

Estava combinado. A dificuldade sempre parece maior do que é. Imagino que esta máxima deve ser da maior imoralidade, paciência. Tem crápulas ordinaríssimos que namoram a mulher do próximo. Tem também estudantes dignos de elogio, que pretendem aprender a língua japonesa. Ora eu falo pra esse estudante: irmãozinho, principie e siga corajoso. A dificuldade sempre parece maior do que é. A gente chega ao fim, ora se chega!

Fräulein é que saiu furiosa da biblioteca, uma raiva de Carlos, dos homens, de ser mulher... Principalmente de Carlos, objeto, ser que ocupa lugar no espaço. Lhe machucara o deus encarcerado. Aliás eu já preveni que Carlos era machucador.

Carlos era machucador. Porém não fazia por mal. Atrapalhava tudo, nunca tinha intenção de atrapalhar coisa nenhuma.

Repare nesse menino que passa. É grandalhão, é. Mesmo pesado. Muitos afirmam que ele é magro... A culpa não é tanto das carnes, que são rijas e abundantes. Come bem. Dorme bem. Passa vida regalada. E é escandalosamente sadio, nem sequer a faringite crônica de oitocentos mil paulistanos.

Mas então por que é magro? Já falei que não é magro, desraçado, apenas isso. O que sucede com as raças muito apuradas? A carne é bem cotada no Mercado, por ser muito mais macia. Pra conservar tais excelências a Inglaterra proíbe a intromissão do boi zebu nas marombas dela. Toda gente sabe também que o gado abatido lá na grande Argentina, que do polled-angus albion sempre abunda, atinge tipo elevado na cotação dos importadores europeus.

Ora no Brasil entrou o boi zebu. Entra o durhan também, e já pasta o curraleiro e principalmente o caracu. Porém inda não se apurou coisa que valha. Será falta de carne nestes membros possantes? Nem tanto, os ossos é que ainda não diminuíram. Delírios da seleção! fundam o Herd--Book Caracu. O muchirão vai progredindo e já orgulha bastante o estado de São Paulo. Porém essas coisas não se fazem num dia, carece tempo, muita experiência...

E aos poucos, devido à clarividência dos criadores, os chifres diminuem, o focinho se torna uniformemente róseo, cascos róseos, e as malhas apanteradas alindam o pelo arroz-doce do bicho. Bem claro inda não está... Mas lindo assim mesmo, não acha? Moreno rosado... terá mais deliciosa e masculina cor! Cobre carnes rijas, musculosas, afirmo. Apenas estas se disseminam porque a obrigação delas é cobrir. Então cobrem esses ossos de pouca ou nenhuma seleção, grandalhudos e grandes. Veja os braços, por exemplo. O menino até anda meio recurvado. E as mãos são grosseiras, porém isso já tem causa muito diferente, a culpa é toda dos esportes, futebol, principalmente natação e remo. Agora o boxe está na moda e Carlos boxa.

Nos momentos, felizmente mais raros, de consciência de si mesmo, ele se falsifica por completo. Afirma que gosta muito de pugilismo (é mentira) e toma os ares do forte que já não chora como os índios de Gonçalves Dias. Mas de fato, pra meu gosto pessoal, Carlos é um bocado longínquo. Isso não quer dizer falta de coração, significa somente esquecimento do coração, coisa muito comum nas pessoas normais. Carlos é frio? Não, porém não se lembra de querer bem. Se basta a si mesmo e se defende das festinhas.

Se alguém lhe bota a mão no ombro, retira o corpo instintivamente. Se uma das irmãs, irmãs nem tanto, camaradas, que Carlos não bate em mulheres, lhe dá a mão, aperta até machucar. Aliás não corresponde ao aperto de mão de ninguém. Aos de alguma superioridade que estendem a mão pra ele, entrega dedos sem contato, inertes, retos, que não se curvam pra apertar. Paralisia infantil. Nunca! paralisia de Carlos. É doença particular. Quero mostrar, com o caso do ombro e o da mão, que ele não goza (nem mesmo as percebe) com as pequenas e mais ou menos mascaradas sensualidades que entretêm as fomes amorosas de todos, da aurora ao se deitar. Porém nestes últimos dias Carlos beija muito as irmãs, principalmente Aldinha.

— Que caídos são esses com sua irmã!

Carlos baixa os olhos, se ri. Pronto: já envaretou outra vez. Sem querer aperta Aldinha e machuca.

— Ai, Carlos!... Feio!

— Quem que é feio!

— Você, sabe!

— Quem que é feio! Repita mais uma vez pra você ver!

— É você! é você!

— Quem!

— Tu, turututu! parente do tatu e do urubu, pronto!

— Então se eu sou parente do tatu e do urubu, você é tatua misturada com urubua.

Aldinha chora, é natural.

— Mamãe! ahn... mamãe!

— Que foi, Aldinha!

— Ahn... Carlos me chamou de tatua misturada com urubua...

Ele não fez por mal, só crianças fracas, doentias e nervosas são malvadas. Vejam Maria Luísa... Faz um par de dias, foi no chá da amiguinha. Pois achou jeito escondido de esquartejar o bebê de porcelana. Quando saía, esperando a mãe no jardim, depenou a palmeirinha. De caso pensado. Mas ninguém viu e ela não contou nada. Se fosse Carlos, juro que pegando na boneca desarticulava num instante os braços da coitadinha. Porém ia logo mostrar o malfeito, tomava pito, encabulava. Depois foi saltar a palmeirinha, facilitou, deu com o pé no vaso caro.

— Dona Mercedes, quebrei o vaso da senhora! me desculpe!

Ela diria o "não faz mal", tiririca por dentro. Depois desabafava:

— A Laura tem um filho insuportável! malvado! você nem imagina! Quebra tudo de propósito! Diferente da irmã... Maria Luísa é tão boazinha!...

Porém isso não faria nenhum mal pra Carlos, a essa hora, quem sabe? talvez envaretado por novas reinações, pensando noutras coisas. Maria Luísa lembra, a outra palmeirinha... Lhe cresce a pena de não a ter desfolhado também.

Não sei se pus alguma coisa de Carlos nestas últimas páginas. Tive intenção de. Relendo o capítulo, sinto que aí estão a pureza, a inocência, os ossos e a graça sutil do rapaz. E determinei bem que ele era um machucador de marca maior. Nesse dia então, viveu atentando as meninas.

— Mamãe! venha ver Carlos!

Dona Laura ficou zonza.

Fräulein enciumada, se remordendo, traidor! nem pensava mais nela! Ali pela tardinha não pôde mais, passou por ele e murmurou:

— Meia-noite.

Carlos se acalmou de sopetão, não buliu mais com as irmãs, sério. Estava homem. Carlos estava homem. Sem que se amedrontasse, assuntou a noite envelhecer. Só reparou no vagar dela. Muito sereno, porém apressado.

Aos poucos se apagaram as bulhas da casa, vinte e três horas. Se irritou com a impaciência chegando, que o fazia banzar pelo quarto assim, e lhe dava sensação do prisioneiro que espera o minuto pra fugir. Puxa! coração aos priscos. A calma era exterior. Não. O coração também se fatigou e sentou. Carlos também sentou. Cruzou os braços pra não mexer tanto assim, disposto a esperar com paciência. Tomou o cuidado de pôr o braço esquerdo sobre o outro, que assim o relógio ficava à mostra na munheca.

E os minutos se acabando, tardonhos. Aliás nem tinha pressa mais, o aproximar da aventura lhe apaziguava as ardências. Resfriado. Qualquer coisa lhe tirava o calor dos dedos... Se lembrou de vestir pijama limpo, fez. Depois pensou. Não tinha propósito trocar de pijama só por quê. Carlos, como se vê, já tinha progredido sobre o pai, nunca usará brilhantina nos bigodes. Se nem bigodes! Vestiu outra vez o pijama usado e se reconciliou consigo, já confiante.

E outra vez se sentou. Olhava a imobilidade dos ponteiros que lhe abririam a porta de Fräulein. Que o entregariam a Fräulein. Uma comoção doce, quase filial esquentou Carlos novamente. E porque amava sem temor nem pensamento, sem gozo, apenas por instinto e por amor, por gozo, iria se entregar. Está certo. Carlos amava com paixão.

A imobilidade é a sala de espera do sono. Procurou ler e cochilou. Vinte e três e trinta, se ergueu. Caceteação esperar! Também o momento estava estourando por aí, graças a Deus! Sentou na cama. Mais vinte e sete minutos. Vinte e seis... Vinte e cinco... Vinte e... Nos braços cruzados sobre a guarda da cama, a cabeça dele pousou.

A posição incômoda acordou Carlos. Espreguiçou, empurrando com as mãos a dor do corpo, sentado por quê? ah! lembrança viva enxota qualquer sono. Hora e meia! Desejo furioso subiu. Sem reflexão, sem vergonha da fraqueza, corre pra porta de Fräulein. Fechada! Bate. Bate forte, com risco de acordar os outros, bate até a porta se abrir, entra.

qui devem se trocar naturalmente umas primeiras frases de explicação — se ele der espaço para tanto entre os dois! —, porém obedeço a várias razões que obrigam-me a não contar a cena do quarto. Mas como nos será impossível dormir, ao leitor e a mim, ambos naquela torcida pelo triunfo de Carlos, vamos gastar este resto de noite resolvendo uma questão pançuda: quais eram de fato as relações entre Fräulein e o criado japonês? Inimigos? Quem me falou que eles se entendem?...

Pois é. Castro Alves cantava que na última contingência da calamidade, quando a queimada galopa destruindo matos, sacudindo as trombas curtas de fogo no ar, a corça e o tigre vão se unir na mesma rocha. Não sei em que país do mundo Castro Alves viu a "Queimada" dele... Talvez nalgum Éden bíblico ou nas bíblicas proximidades da moradia de Tamandaré, depois do dilúvio. O certo é que tinha lá, em promíscuo farrancho, um tigre, uma corça, além de iraras e cascavéis. Não esqueçamos também o perdigueiro. Porém essa fauna panterrestre não tem importância nenhuma pra este idílio, pois não trata-se de corça nem de tigre, estou falando de Fräulein e do criado japonês.

Mas da relação íntima que possa existir entre os quatro inda me resta o que falar. Não sei porém como igualar Fräulein a uma corça... A comparação tomava assim uns ares insinuantes de pureza que não ficam bem, pois nós todos já sabemos que. O japonês então, gente guerreira aquela! é que de todo não pode ser a tímida veadinha... De mais a mais confesso que não vejo, entre os brutos escolhidos por Castro Alves para o mesmo habitat conciliatório, mais que antítese inócua, nem são tão opostos assim! Mais inimigos ainda, mais muito mais! são o tigre e o tigre.

Agora sim a metáfora pode convir. São tigres pois, no sentido que mais convier a cada um, a governanta e o criado japonês dos Sousa Costa. Esta analogia vai surgir muito evidente, agora que me disponho a explicar por que lembrei o verso de Castro Alves.

Em que companhia horrorosa a gente Sousa Costa foi se meter! Porém no Brasil é assim mesmo e nada se pode melhorar mais! Os empregados brasileiros rareiam, brasileiro só serve pra empregado-público. Aqui o copeiro é sebastianista quando não é sectário de Mussolini. Porém os italianos preferem guiar automóveis, fazer a barba da gente, ou vender jornais. Se é que não partiram pro interior em busca de fazendas por colonizar. Depois compram um lote nos latifúndios tradicionais, desmembrados em fazendas e estas em sítios de dez mil pés. Um belo dia surgem com automovelão na porta do palacete luís-dezesseis na avenida Paulista. Quem é, hein? E o ricaço Salim Qualquer-Coisa, que não é nome italiano mas, como verdade, é também duma exatidão serena. Porém se o copeiro não é fascista, a arrumadeira de quarto é belga. Muitas vezes, suíça. O encerador é polaco. Outros dias é russo, príncipe russo.

E assim aos poucos o Brasil fica pertencendo aos brasileiros, graça a Deus! dona Maria Wright Blavatsky, dona Carlotinha não-sei-que-lá Manolo. Quando tem doença em casa, vem o dr. Sarapião de Lucca. O engenheiro do bangalô neo-colonial (Ásia e duas Américas! Pois não: Chandernagor, Bay Shore e Tabatinguera) é o senhor Peri Sternheim. Nas mansões tradicionalistas só as cozinheiras continuam ainda mulatas ou cafusas, gordas e pachorrentas negras da minha mocidade!... Brasil, ai, Brasil!

Falemos dos tigres. O japonês arrepiou logo o pelame elétrico e grunhiu zangadíssimo. Mais uma estrangeira na casa que ele pretendia conquistar, ele só... O tigre alemão, se reconhecendo muito superior tanto na hierarquia solarenga como na instrução ocidental, lhe secundou ao grunhido com o muxoxo desdenhoso. O tigre japonês curvou a cabeça, muito servilmente. Porém toda casta de picuinhas fazia pro outro. Quando era pra dar um recado, batia na porta do outro e:

— Senhora está chamando — e não dava o recado. O tigre alemão tinha que descer as escadas e ir saber o que dona Laura queria. Na mesa, muitas vezes o nipônico deixava de servir o tudesco ou esbarrava nele com peso e malvadez. Mas o tigre alemão se vingava, e o senhor ou a senhora Sousa Costa ali, ordenava ao inimigo tal serviço, o tigre japonês obedecia servilmente. Era na alma que rosnava tiririca. E assim os dois tigres se odiavam. Viviam se arranhando em contínua rivalidade. Cada um se acreditava o dono daquela família, o conquistador da casa e do jardim, o quem sabe? futuro possuidor do Estado e próximo rei da terra brasileira toda do Amazonas ao Prata.

Odiavam? que estou falando! Quando os Sousa Costas grandes iam no teatro ou no baile, Fräulein deitava as pequenas. Depois entrava no quarto. Não sei se lhe pesava a solidão, descia, sentava-se no hol e abria um livro sem vontade. Virava pouco a pouco as folhas secas que ringiam machucadas no chão frio. Devia de estar alguma fera no arredor... O luar coava solitário da alta rama das árvores. De repente os cipós se entreabriam. Dois olhos espantados relampeavam na escureza e a carantonha chata do tigre japonês aparecia, glabra, polida pelo reflexo lunar. Com o passo enluvado, cauteloso, ele rondava à espera dum carinho. E o carinho chegava fatalmente. Fräulein, fingindo indiferença, fechava o livro.

— Muito serviço, Tanaka?

— Nem tanto, senhora, êêê... na terra era pior.

— Você é de Tóquio?

— Êê... senhora, não.

Se aproximava. Vinha felinamente estacar em frente do tigre germânico. Então eles conversavam. Falavam longamente. Comovidamente. Se contavam as mágoas passadas. Confiantes, solitários. Doloridos. Se contavam as mágoas exteriores. As infâncias passavam lindas, inocentes, brinquedos, primavera, mamãe... Algumas vezes mesmo uma lágrima iluminava tanta recordação, tanta alegria. Tanta infelicidade.

Batia sobre eles o luar, e os santos óleos da lua como que lhes redimiam as maldades pequeninas. Se olhavam comovidos. O tigre alemão, longo, desgracioso, espiritual, ver um Schongauer. O tigre japonês, chato, contorcido, ver um Chuntai.

Depois das recordações, vinham as esperanças. E das esperanças, tão lentas de se realizar! derivavam os exasperos e as revoltas. Até calúnias, tão eficientes pra consolar. A roupa suja da família se quotidianizava ali. Os defeitos da pátria emprestada eram repassados com exagero. Principalmente o nipônico falava, que o alemão tinha as pernas mais altas do estudo pra se rojar no lamedo. Porém se percebia que escutava com prazer. E os dois tigres se aproximavam, olhos úmidos, eram irmãos. Se a distância lhes impedia pra sempre o beijo sem desejo, insexual mas físico de irmãos, eles se davam, não tem dúvida, aquele beijo consolador, espiritual, redentor e reunidor das almas desinfelizes e exiladas.

Apalermados pela miséria, batidos pelo mesmo anseio de salvação, sofrenados pelo fogaréu do egoísmo e da inveja, na mesma rocha vão trêmulos se unir. A queimada esbraveja em torno. Os guarantãs se lascam em risadas chocarreiras de reco-recos. A cascavel chocalha. A suçuarana prisca. As labaredas lambem a rocha. Pula uma irara, que susto! Peroba tomba. O repuxo das fagulhas dançarinas vidrilha de ouro o fumo lancetado pelas cuquiadas dos guaribas. Os dois tigres ofegam. Falta de ar. Sufocam, meu Deus! Deus? Porém que deus? Odin de drama lírico, sáxeo Budá no contraforte das cavernas? Porém sobre a queimada, Tupã retumba inda mais mucudo, de lá dos araxás de Tapuirama. Por enquanto. Creio mesmo que vencerá. Os dois tigres acabarão por desaparecer assimilados.

Mesmo o japonês? Homem, não sei. Avisto Gobineau fraudulento a estudar o fácies de Tupã. Odin e Budá inda Tupã podia vencer, que em brigas entre iguais a vitória parece discutível. Mas Gobineau é homem, Homo Europeus, e sempre constatei que os homens são muito mais fortes que os deuses. Gobineau vencerá pra maior gozo de alemães.

Mas que bem que importa isso à família Sousa Costa? Não importa nada, nem dona Laura tem que ver com os futuros da pátria, francamente. Só o presente é realidade. Qual será o futuro? Paradigma de conjugação seguirá? Ou irregular? Ou não tem futuro, e família e pátria são defectivas?... Ninguém o saberá jamais...

Agora que as relações entre os dois tigres ficaram esclarecidas, só me resta aconselhar aos leitores o seguinte: a gente não deve culpar nem Fräulein nem o criado japonês. Não adianta nada, nem são tão culpados assim. E têm isso de imensamente cômico, que no fundo se odeiam. Mas ali estão unidos por causa da "Queimada" de Castro Alves. Por causa das recordações, do exílio e da esperança. Todos os exilados afinal têm direito a recordações e esperanças.

E enviados pro Brasil, onde iraras pulam, cascavéis chocalham, onças, jaguarandis, tatupebas, peixes-bois e tigres, pois não! tigres também se assanham, inda por cima vieram adquirir essa coisa tristonha e desagradável que de portugueses herdamos: a saudade.

A aurora entrecortada lança um primeiro suspiro nos céus notívagos. Dois ou três galos madrugas, galos em Higienópolis não tem, uns galos madrugas... é uma pena estes verdes amáveis do Brasil não ocultarem rouxinol nem cotovia, aliás estamos na cidade e creio nem na umidade de White-Chapel a cotovia librará o voo pesado dela (será pesado o voo da cotovia?), nem sobre a cúspide da Cleopatra's Needle o rouxinol cantará, porém estou me enganando, pois *Romeu e Julieta* passa-se na Itália, nem Shakespeare é londrino... resumindo: vários galos madrugas amiúdam no Pacaembu. Pois agora que bateram as três e trinta, o leitor pode retomar o caso e espiar o corredor. O idílio continua.

Carlos sai cuidadoso do quarto de Fräulein. Caminha na maciota. Todo cuidado é pouco, não? com pés de onça ele pisa. Nem um ruído fará, não vá acordar alguém... Carlos reflete. E sabe que essas coisas ninguém deve descobrir.

Fräulein se fechou por dentro. Desenleou pensativa a maçaroca das cobertas. Foi alisar os cabelos, cheia de molas, boneco, pra não se embaraçarem mais durante o sono. Estava toda numa ideia longe, parafusando, parafusando. Deitando, inda parou um pouco, esquecida, onde está Fräulein? Qual! que ideia! Interrompeu a luz. Mas havia de tirar a limpo aquilo. Pegou no sono.

Carlos se levantou tarde. Desapontado? É certo que, descendo pro café, deu graças a Deus de não encontrar Fräulein, bebeu, subiu escorraçado pelos sustos. Tomou o banho frio quotidiano, e cantava, distendendo os músculos morenos diante do espelho, nu. Coroava os olhos dele essa quebra de pálpebras, vocês sabem... como brilham as pupilas! É sono. Mas em volta delas, sombria, negrejante, a aliança matrimonial. De Saturno.

Não se discute: os estigmas do pecado alindam qualquer cara. Carlos hoje está quase bonito, desse bonito que pega fogo nas mulheres. Até nas virgens, apesar do físico perfeito de Peri e do moçoloiro. Carlos estava assim com um arzinho sapeca, ágil, um arzinho faz-mesmo. Não se moçoloirara nem um pouco. Porém se cantava satisfeito parou a desafinação de repente, mal-estar... Berimbaus guisos membis, as meninas voltavam do passeio. Fräulein devia estar com elas. Ficaram no jardim.

Cinco pras onze, hora da lição! Carlos se imobiliza, apavorado, que vergonha, meu Deus! com que cara agora ia se apresentar diante de! Nunca mais olharia pra ela! Não teria coragem... Espiou. Fräulein grande, linda e esbelta pros olhos dele (estava com sono) parara entre as rosas, metida numa capa austera. As pregas em ordem despencavam dos ombros dela, pormenorizadas e góticas. Espalhavam serenidade sem segredos, religiosa. Ajoelhar diante daquela boniteza matinal!... Ficar assim, extático, em silenciosa adoração... divina! E lhe beijar submisso a fímbria pura dos vestidos, mantos, mãos... descansar a fronte naqueles seios protetores... afundar o rosto nesse corpo... apertar Fräulein! molhar ela de beijos! morder, não sei!... Enlaçar, cheirar, unir... dormir... morrer... era no outono quando a imagem... Que é!

— Dona Fräulein manda dizer pra senhor que é hora de lição.

Nunca! Não posso! como será!... Andou. Se riu de aflito, abrindo a porta. Fatalizado. Caminhar pro suplício. Mais hesitações que degraus. Ela no centro do hol. A casa desabou.

Pra Fräulein também. — Ora essa! — Não me amolem com histórias de concordância psicológica. Vocês se esquecem do deus encarcerado? A casa desabou pra ela também. Só que pôde disfarçar:

— Você se esqueceu da lição... Carlos?

Ele encabuladíssimo, rubro, pálido, ergueu um pouco os olhos pra ela. Fräulein também estava erguendo os dela. Só um pouquinho. Dois olhares que se relam, fogem. A casa redesabou. Muito desagradável. Se pudessem levar mais alguém pra biblioteca... podiam desconfiar!... não havia pretexto. Gostaram de não haver pretexto. Não queriam levar ninguém pra biblioteca. Porém passar uma hora juntinhos, depois de!... que horror! Carlos respondeu com a voz mais natural deste mundo:

— Estava me vestindo.

Entraram mecânicos, sem vontade. Porta fecha. Ele caiu sobre ela, choveu-lhe beijos pelo corpo, mastigou-a em abraços ardentes.

— Como vão os estudos de japonês, irmãozinho!

— Muito bem! Ora! já não morria de fome em Nagasáqui! A dificuldade sempre parece maior do que é.

— Mamãe! venha ver Carlos!

— Mas que será que sucedeu pra esse menino, hoje... Não tem parada! Você carece passar um pito nele, Felisberto! está impossível da gente aturar!

Vieram correndo em busca dos amantes, os tempos de intimidade. A gente nem respira e a vida já fica tão de ontem! É esquisito: o amor realizado se torna logo parecido com amizade... Carlos já senta-se e cruza as pernas. Se fumasse, fumaria. É sempre o mesmo ardente, o mesmo entusiasmado... Mas cruza as pernas, que é sintoma de amizade. Talvez mesmo pra evitarem o excesso de camaradagem, que traz os dizque e conta os casos desimportantes do dia, eles falam unicamente de amor. Não é por isso não. Fräulein tem de ensinar e ensina, Carlos até pouco fala. Geralmente ele apenas termina os raciocínios da sábia e se deita na sombra mansa das ilações. Carece aprender e aprende.

Que diabo! não acha muito cedo pra ensinar o ciúme da mulher, Fräulein? Porém a professora não se vence mais. Curiosidade? Antes aflição. Por isso ela se fala: chegou o momento de ensinar o ciúme da mulher. E porque chegou, lhe sobra ocasião pra se certificar de. Arranca desabrida:

— É. Como as outras que você já teve. E as que há de ter.

Que método, Virgem! Veja como espantou o menino! está roxo de vergonha. Porém a resposta é pura e firme:

— Nunca tive ninguém!

Fräulein não deve insistir. Pois ela, esta cultura do sofrimento! ela imediatamente:

— Ninguém? Você não me engana, Carlos. Então hei de acreditar que fui a primeira?

— Você foi a primeira! a Única!

— Não minta, Carlos. Então você nunca esteve com ninguém?... Está vendo?... Responda!

Ele ergue a cara, ardendo em verdades magníficas. Quanta franqueza linda! E responde. Responde certo:

— Estar não é gostar, Fräulein!

Não tem dúvida: o método socrático de perguntas e respostas dá no vinte, quase sempre. Ao menos quando escrito assim em cima do papel, seja por Platão ou mesmo por mim. A resposta de Carlos falava lindíssima verdade. Porém quando as verdades saltam do coração, nós homens intelectuais lhes damos o nome-feio de confissões. Carlos confessara apenas, não aprendera nada com a verdade que dissera. Só quando do peito passa pro cérebro, a confissão se transforma em verdade. Dessa excursão o professor é o tapejara.

Tínhamos chegado no momento da necessaríssima distinção entre amor e posse que, quando pra mais não sirva, serve pra sossego dos Sousa Costa pais. Carlos chegaria à certeza boa, se Fräulein dirigisse bem o diálogo. Bem que ela desconfiara na primeira noite, Carlos já conhecia o. Agora sabia disso, pois continuasse a lição! Qual o quê! A curiosidade corre num motociclo, o dever anda de bicicleta, veículo atrasado, quem vencerá? A gente já sabe que só nas fábulas o jaboti ganha da candimba, nem sou capcioso Platão que prepara os diálogos por amor de cobrir de glórias o mestre dele. Por estas duas razões acontece que o motociclo ganha a corrida e Fräulein, em vez de ensinar, insiste. Faz perguntas, fingindo um ciúme aliás muito verdadeiro. Carlos, refugando sempre, enojado, desembuxa tudo afinal. Fora com uma qualquer, rua Ipiranga, porém que tinha isso! tão natural... E uma vez só! uma vez só! Fräulein, te juro!... nem tive prazer... e levado por companheiros... se soubesse que você vinha!... E era só, unicamente dela! nunca serei de mais ninguém!... e, juro! foram os companheiros que me levaram, senão não ia!

Fräulein, embora nada grega, acreditava que os esportes eram alambiques de pureza. Porém não tinha vagar bastante agora, pra defender a ilusão escangalhada. O fato de Carlos não lhe ter dado a inocência, preocupava-a. Sejamos sinceros: aquilo machucou-lhe o orgulho profissional.

Mais do que esse sentimento inútil, logo sequestrado, Fräulein discutia se os oito contos lhe escapavam ou não, certo que não! Porém lhe faltava descanso agora, pra provar o não, Carlos estava ali. Só não cruzava as pernas mais, queixo nas mãos, cotovelos nos joelhos. O caso parecia grave. Bolas! preferia os beijos, Fräulein repeliu-o. E por que chorou! Ninguém o saberá jamais, chorou sinceramente.

Aproveitou as lágrimas pra continuar a lição. E aos poucos, entre perguntas e desalentos, mordida pelos soluços, tirava do aterrorizado as múltiplas verdades da sua teoria lá dela: qual o procedimento dum homem que não enciúma às cunhãs, quais os gestos que dão firme e duradouro consolo à amante, desculpe: esposa enfraquecida pela dúvida, etc. Carlos, que menino inteligente! foi apressado, foi dominador, sincero. Tanto mesmo que, ao partir, compartilhava os ciúmes de Fräulein, satisfeito. A tal farra com os camaradas... um crime. Só não se amaldiçoou, não amaldiçoou os companheiros e a perdida, só não chorou nem monologou porque não tinha inclinação pro gênero dramático. E aquilo teria mesmo tanta importância assim. Não sabe. Sente que não. Quer sofrer mas não pode, está sublime de felicidade: uma mulher chorou por causa dele! puxa, que gozo! Ele até dá um soluço. De gozo.

Fräulein, pelos dias adiante, pensou duas vezes longamente no caso. Seriamente. Foi honesta. Resolveu ficar bem quieta e aceitar os oitos contos. A missão dela não consistia em dirigir um ato: ensinava o amor integral, tão desnaturado nos tempos de agora!... Amor calmo, etc. Com a frequência do ideal escrito pelo deus encarcerado, com certeza discípulo de Hans Sachs, Fräulein pouco a pouco mecanizara a sua concepção pobre do amor. Ali o homem-da-vida e o homem-do-sonho vinham se confundir na pregação duma verdade só e, bem mais engraçado ainda, na visão do mesmo quadro. Professora de amor... porém não nascera pra isso, sabia. As circunstâncias é que tinham feito dela a professora de amor, se adaptara. Nem discutia se era feliz, não percebia a própria infelicidade. Era, verbo ser.

Insensivelmente porém a teoria que ensinava aos alunos vinha se embrenhar no que ela desejava ser. E o alemão de dentro de Fräulein repisa insaciável, incansável, a suave cena, sinfonia *Pastoral* cinco vezes por ano e perpétua visão: boca da noite... Uma cidade escura milenar... Ele entraria do trabalho... Ela se deixava beijar... Durante a janta saberia dos bilhetes pra Filarmônica, no dia seguinte... E quando a noite viesse, ambos dormiriam sono grande sem gestos nem sonhar.

Pra isso também inconscientemente Fräulein dirigia os alunos. Sem inveja acreditava que os já ensinados reproduziam, breve reproduziriam a visagem gostosa. Agora dirigia Carlos para o mesmo fim. Porém que uma outra tivesse movido o menino a primeira vez... lhe desagradava. Conservaria sempre pelos anos a sensação logo vencida mas imortal de que tinham lhe passado a perna.

Sua mãe tem governanta em casa?

— Não, por quê?

— Nada.

....

— Sua mãe tem governanta em casa?

— Não, por quê?

— Nada!

....

— Sua mãe tem governanta em casa?

— Tem, por quê?

— Ela ensina alemão pra você!

— Não, é russa.

— Você aprende o russo com ela!

— Eu! Deus te livre!

— Ah.

Vivia assim no quase. Contava ou não contava?... se assusta. Não devia contar, aquilo era escandaloso, era. E que satisfa, que vitória ser escandaloso!... Tinha também essa longínqua noção de que a aventura devia ser um pouco ridícula. Mas, sem saber, se punha vaidoso desses ridículos. Isso acontece com todos os seres racionais. Daí, aquela vontadinha de contar... Contar por contar, pouco se interessava com a inveja dos camaradas e não gostava de pabulagens. Carlos é um forte de verdade. Um desses que só se comparam consigo mesmos. E com a doce agitação que lhe dava chegar assim no limiar da confidência, percebia que estava crescido sobre o Carlos de dois meses atrás. Gostava do brinquedo, confesso. Brinquedo consciente? Ninguém o saberá jamais. O limiar da consciência é bem mais difícil de achar que as cabeceiras do rio da Dúvida... Que o digam os psicólogos! Que o digam as penas rotas e mortas em buscar esse limiar fugitivo e irônico!...

Aldinha se chegando pra Maria Luísa, traz uma panelinha na mão. Encostada:

— Maria! vamos brincar, hein?

— Mas brincar do quê?

— Brincar... Vamos brincar de família!

Fala como quem descobre uma luz. E do que mais poderia ser o brinquedo das meninas?

Sob o arco da escada que leva pra cozinha, atrás, elas aprendem horas, brincando de família. Visitas. Depois adormecem as filhas. Lindo o bebê de Maria Luísa! E dorme em cama própria. Porém Aldinha não inveja o bebê da outra, escolhe sempre entre as bonecas essa filha de celuloide que sonha sobre o pedaço de lã no cimento. Mamãe é que deu o pedaço de lã. Isso basta? Aldinha se sente feliz. Laurita cozinheira faz o almoço. Eu mesmo já tantas vezes almocei às quatorze horas! Só que por muitas outras razões. A razão das meninas é mais imperiosa: vida de famílias de brinquedo principia de manhã. Eis que torno-me irônico sem motivo, basta. Bateram quatorze horas faz pouco. Mas o brinquedo apenas principia. São, ponhamos, onze e trinta. Laurita bota o almoço na mesa. Madame *est servie*. Aldinha é visita de cerimônia que só de tarde aparece, não faz mal.

— Como vai sua filha, dona Maria Luísa?

— Agora está melhor, muito obrigada. Ela é muito fraquinha, tem sempre dores de cabeça, como sofre! O médico falou que é anemia... Mas nós temos medo que seja coração... E a da senhora, dona Aldinha?

A visita goza um orgulho açu, quer se recatar porém não pode:

— A minha! Vai muito bem! Nasceu ontem! É muito forte! Está corada, não acha? Nunca fica doente!

Dona Maria Luísa melancólica olha a filha. Por que tem bonecas sãs e bonecas doentes neste mundo, meu Deus!... Dona Maria Luísa suspira. Então esconde:

— Vamos passear no jardim, dona Aldinha? A tarde está tão fresca!

— É de manhã, Maria Luísa!

— Também pra quê que você já veio me visitar!

Vão e levam as filhas. Vem a cozinheira:

— O almoço está na mesa!

Dona Aldinha, instada, fica pra almoçar. A filha de celuloide nasceu ontem... Ambas comem galhardamente um pouco de grama e pétalas roubadas das rosas, comestíveis ideais. O chá, água puríssima, nas lindas chávenas orladas de ouro. Carlos chega. Veio da aula de inglês e procura.

— Que é isso, agora!

— Nada!

— Também quero brincar!

— Não pode!

— Que tem, Aldinha! Deixe ele! Carlos é o pai da sua filha!

Porém Aldinha só tem cinco anos, como é que a gente pode reconhecer, nessa idade, o uso de pais pra bonecas de celuloide!

— Não careço de pai pra minha filha! Só se for da de você!

Maria Luísa se cala porque também não quer pai pra bebê tão bonito. O imperialismo das mães... Carlos ainda mais encafifa a menina:

— Também você pensa que vou ser pai duma boneca de celuloide! não vê! Sou pai só de bonecas de louça!

— Então você é visita! — lembra a cozinheira, salvando as bonecas.

Carlos não está com nenhuma vontade de brincar, isso percebe-se. Mas ninguém pode ficar inativo neste mundo, ri:

— Pois é! Vim jantar também!

— Não é janta, Carlos! é almoço!

— Chi! que almoço mais porcaria!

— Eu chamo mamãe!

— Pode chamar! Também não careço de comer isso!... Capim... só burro que come capim!

— Não é capim t'aí, é grama!

— É capim.

— Saia daqui!

— Não saio!

— Largue disso, Carlos!

— Carlos!

— Largue!

— Mamãe!

— Pronto!

— Ah!... minha comidinha!...

Tudo em pandarecos pelo chão, desilusoriamente. As meninas têm uma tristura enorme. Entram em lágrimas na casa. Carlos conhece o argumento: finge uma raiva.

— Bem feito, mamãe! elas não queriam que eu brincasse também!

— Mas você não é mais criança, Carlos!

— E Maria Luísa, então? Eu também posso brincar, ora essa! É! fizeram uma porcariada no jardim! Arrancaram todas as rosas, diz que pra fazer comidinha, a senhora vá ver!

— Ôôôôô... mentiroso!

— Bom. O melhor é virem todos pra dentro. A tarde está fria e Maria Luísa pode ficar doente.

Eu imagino que Carlos está desapontado por dentro. Imagino mais que desta vez ele fez mal. As crianças guardam a louça, a mobília e as bonecas. Os soluços de Laurita cortam a friagem da tarde e o meu coração.

A gente nunca deve desmanchar a comidinha das crianças.

No dia seguinte o pessoalzinho não fez questão de sair da cama, até acordou mais cedo. Tanto assim não carecia. Só as aulas matinais têm de ser mais curtas. Afobação.

— O almoço está na mesa!

Fräulein, sempre a primeira a ficar pronta, parara no meio do hol. Batia com a mão nos lábios, impaciente. Carlos de mansinho se aproxima dela. Pensa que Aldinha não deve escutar a pergunta e mal sussurra:

— Achou?

— Inda não. É... ná! não há nada que me irrite mais do que isso.

Dona Laura vem descendo com a pressa aflitiva das gordas:

— Vamos! Maria Luísa! você não está pronta ainda!... Precisamos andar depressa!

— Quedê Maria Luísa, Laura?

— Já vem. Está com um pouco de dor de cabeça.

— Quem sabe se é melhor ela não ir... Fräulein ficava com ela...

— Ah, papai! deixe Maria Luísa ir com a gente, coitadinha!

— Eu falei, Felisberto, principiou a chorar... Diz que quer ir, não se pode contrariar ela, é pior!... isso passa. Maria Luísa! o almoço está pronto!

Maria Luísa desce. Desmerecida, um pouco lenta. Mas sorri. Assim pálida está ver uma rainha brancarana, de olhos negros muito rasgados e cabelos crespos demais. É que teve rainhas nas cinco partes do mundo.

Almoçaram num átimo. Visitar a nova chácara comprada por Sousa Costa adiante de Jundiaí... E no automóvel novo... que gostosura! Entusiasmo das meninas. Carlos quase feliz. Os pais se sentem bons.

— Tem alguma coisa, Fräulein?

Ela meio que ri:

— Não é... — hesita. Afinal, conta: — Mas acontece cada uma. Nós hoje encontramos uma palavra na lição... Sabemos como é em português, porém não há meios de lembrar. Parece incrível, palavra tão comum... E nem eu nem Carlos!

— Mas por que não viu no dicionário?

— Aí é que está: hei de me lembrar. Pois se nós sabemos. —E, como que disfarçando o constrangimento sem motivo: — Não se lembra mesmo, Carlos?

— Naam...

Olhou-o, estava branco branco! Ficara aterrorizado, escutando ela contar o caso. Não sabia por que se amedrontava assim, porém tinha medo, medo terrível. Lhe parecia que a mãe, o pai, as irmãs, os criados, todo o universo conheciam as relações dele com Fräulein... O pobre! falou um "não" empalamado, enquanto se gelava todo.

— Qual é a palavra?

— Você não sabe, Maria Luísa!

— Por que não hei de saber! Se até já falo melhor que você, agora!...

— Você! uma crila...

— Carlos, diga a palavra pra sua irmã!

— Mas... papai... ela não sabe!

— Diga a palavra, vamos!

— Nn... não sei mais...

— É *Geheimnis*, Maria Luísa.

— *Geheimnis*... já escutei essa palavra...

— Está vendo! não sabe!

— Mas podia saber muito bem!

— Está bom: deixem de briga e comam!

Apesar de salvo, permanecera em Carlos um eco perto de terror. Se sente mal. Se o pai fosse procurar a palavra no dicionário... tudo perdido! E a vontade por Fräulein, mais do que isso, o desespero por ela cresceu.

Se aboletaram no torpedo. Desta vez Carlos não brigou com Maria Luísa por causa do lugar da frente. Deixou ela sentar-se ao lado do pai que dirigia.

— Não. Ela está com dor de cabeça, pode ficar aí mais no largo. Mamãe! assim você vai muito apertada... Deixe, eu sento no meio.

Dona Laura, seca, acertando o decote da blusa, com rompante:

— Fique nesse lugar. Está bem assim.

Carlos não insiste. Porém carinhosamente passa o braço pelas costas da mãe, e a resguarda. Do quê? Do vento. Ventinho impertinente, gelado.

— Minha filha, agasalhe-se bem. Você devia não ter vindo...

— Ah, mamãe! já estou boa!

Ia me esquecendo... A mão de Carlos roça pelas fazendas de Fräulein, além.

Pois o passeio foi lindo, apesar da friagem. O chacreiro gostava de rosas. Tanta flor já! O buquê oferecido à patroa é sensacional.

— Olhe esta, Felisberto!

— Em janeiro havemos de vir comer uvas!

— É chupar que se fala, papai!

— Mamãe! posso comer mais uma laranja, posso, hein!

— Poode!

O ó sai tão aberto que dá ideia do mais farto e eterno indicativo presente de todos os tempos. Que pai de família bom é Sousa Costa! A gente é forçado a reconhecer que Sousa Costa é um excelente pai de família. Pater famílias. Dona Laura porém prevê melhor, como a progenitoras convém:

— Mas Felisberto, ela já comeu duas!

— Ora que tem, Laura! deixe a menina!

— Mamãe! só mais uma!... só mais esta uminha!...

— Você facilita, depois fica doente, minha filha!

— Papai! olhe Carlos!

Aldinha vem de carreira e se agarra em Sousa Costa.

— Ele pegou um bicho tamanho e quer botar na gente!

— Quedê ele, hein! me mostre!

— Esse menino...

— Mas papai!... a gente não pode nem brincar, essa linguaruda já vem fazer queixa já! Que enjoamento, puxa!

— Fique sossegado aí!

— Também não vim aqui pra ficar sossegado!

O chacreiro interrompe:

— Senhor Costa, o pedreiro falou que carece dizer adonde que o senhor quer as cocheiras.

— Papai vai ter bois aqui!

— Vou.

— Que bom!

— A gente pode vim tomar leite, não? mamãe...

Dona Laura num desânimo:

— É tão longe, Laurita.

— Que pena!...

— E você está comendo a laranja, hein? Assim mamãe não gosta!

Atrás das árvores:

— *Fräulein! Kommen Sie her!*

— *Warum, Karl? Ich bin etwas mude.*

— *Kommen Sie! Es ist so sonderbar!*

— Aonde que você vai, Fräulein!

— Carlos está chamando pra ver uma coisa...

— Eu também vou!

— Eu também! Me espere, Fräulein!

Encontraram Carlos debaixo do carramanchão.

— Também quero ver!

— Que é, hein!

— O que vocês vieram fazer aqui! Ninguém chamou vocês!

Órfãs de pais Laurita e Aldinha desapontam, quase chorando já.

— Não aspereje assim com suas irmãs, Carlos, você me entristece... Mas o que você queria me mostrar?

Olhou pra ela. Um dilúvio de ânsias, desesperanças, machucaram-lhe o rosto de sopetão. E cada vez mais bonita!... Como a deseja! E não pode ser: abraçados ambos, entregues, esquecidos... Aquilo vai acabar, tem certeza disso. Pra esconder as duas lágrimas, curvou o rosto pro peito, dando as costas. Duas lágrimas de raiva. Mente mal:

— Voou.

Vai. Longínquo, lento, reto, mãos nos bolsos, cabeça pendente da gola do suéter. Dá pontapés nas pedras. Vai. Fräulein... sensação ruim de abandonada, quase estende os braços. Quase chama o senhor. Odeia Laurita, Aldinha. Dá a mão pra elas maquinalmente e volta. Mas... *Geheimnis*?... realmente espantada. Sabe a tradução, isso sabe, porém não pode dizer! Por que razão? Estranho... Nota que a boca a língua se amoldam pra rasgar as consoantes da palavra e uma coisa qualquer proíbe. Carlos? Não, não pode ser Carlos, ela imagina. Porém o que será? Se irrita.

Passam das dezessete horas, creio que é tempo de voltar. Só que agora mandam Carlos pro assento da frente, Maria Luísa terá o centro do automóvel, bem agasalhada dos ventos. Diz que piorou. Lhe ardem os lábios, as mãos. Carlos não se incomoda mais, vai pra onde quiserem. Nem uma vez sequer olha pra trás, para a irmã que piorou. Não quer lutar. Sente cansaço na alma. Pra que tanto esforço vão? tudo perdido mesmo! Carlos se entrega à... isso: à fatalidade inexorável do destino.

Chegaram em casa com noite.

— O jantar estará pronto, Laura?

— Quer jantar já?

— Estou com fome. Você?

— Tanaka, pode botar o jantar na mesa.

— Sissenhôra.

— Olhem: se aprontem logo que o jantar vai já pra mesa. Felisberto, você telefona pro doutor Horton.

— Telefono.

— Peça pra ele vir logo.

Se Fräulein for a última a descer, nada mais razoável, vai antes ajudar Maria Luísa a se despir. A menina quase chora, apertando a cabeça. Febre que aumenta, uhm... Coitada de Maria Luísa! Mas Carlos, por que não aparece? Todos já estão assentados. Quando Fräulein vem descer a escada, ele está ali, machucando as unhas na parede. Emaranha-a nos braços impacientes.

— Carlos...

— Dá um beijo!

— Não faça ass...

São muitos beijos, dolorosos, quase sem prazer.

— Me largue.

— Mais!

— Podem ver...

Estaca. Expressão de quem triunfa. A mesma nele.

— Carlos, venha jantar! Chame Fräulein!

Os dois exclamam duma vez, sem a surdina que abafara o diálogo anterior:

— Já sei!

Silêncio curto. Um espera que o outro fale. E juntos:

— É segredo!

Rindo muito, descem pra jantar. Fräulein anuncia que afinal descobriram a palavra, *Geheimnis* quer dizer segredo:

— Foi ela que achou!

— Eu só não, Carlos. Fomos os dois.

E ambos têm uma desilusão, palavra tão sem significância! Fräulein se admira de não ter dado com ela mais cedo, come calmamente. Carlos acha agora que não tinha razão pros terrores do almoço e do dia, come satisfeito. Nunca ninguém descobrirá! Sousa Costa, não sei, porém me parece que teve uma intuição genial: olha malicioso pros dois.

—Uma gripezinha... bastante forte... Muito cuidado sobretudo. Não tem importância. Mas, pra que o senhor não leva ela pra um clima mais quente... Rio de Janeiro, Santos...

Gripe danada. Apanhara-a naquela tarde fria, brincando de família com as irmãs.

O brinquedo durava fazia uma hora quando Carlos veio, desmanchou a comidinha e machucou o sentimento das meninas. Fez mal. Isso não posso discutir: Carlos fez mal. Se chegasse porém no princípio da família, teria escangalhado tudo do mesmo jeito, porém Maria Luísa não apanhava a rebordosa. O raciocínio me deixou consternado, não devia tê-lo feito, é imoralíssimo. Mas também agora a minha consternação é inútil, não adianta nada.

A dos Sousa Costa bem mais razoável, permite acentuar o lado bom daquela gente e uma linda união familiar. Brasileira. Portanto registremos com largueza: estão consternados com a doença de Maria Luísa: Sousa Costa pai, dona Laura, Carlos, Laurita, Aldinha. Não: Fräulein também. E Tanaka e a criada de quarto. A cozinheira e o motorista. Nem assim o rol se completa. O próprio lar, paredes, janelas, vocês repararam como as luzes vivem menos impetuosas agora? as plantas, a comida... Consternação geral.

Sousa Costa caminha léguas, do vestíbulo até a porta do quarto da filha. E como anda silencioso! ele que pesa nos passos fortes, bem gozados... Lê que todo o lote novo de novilhas foi inscrito no Herd-Book sem rejeição duma só. Bota a carta no bolso ou deixa na escrivaninha. Diabo! aonde botei essa carta! dirá quando puder gozar com ela. A carta existe. Porém não sabe o que conta e aonde pôs. Se lhe telefonassem do clube? do clube, avisando que. Ora deixemos de imoralidades! Sousa Costa nunca teve aventuras, nunca mais terá aventuras, todos os sacrifícios, porém que minha filha sare!... Sousa Costa pensa em Deus.

— Ela dorme.

— Sossegadinha?

— Está. Decerto agora vai melhorar.

A resposta veio de Fräulein, sentada junto à porta do quarto de Maria Luísa. Quem ajuda a moça nos serviços de fora do quarto? É Carlos, sempre solícito, incansável, esperando as ordens cumpridas num átimo.

Dona Laura, a pobre! sentou-se na cadeira de balanço do hol, agarrada nas filhas menores. Assim pensa que Maria Luísa sarará depressa, com as lágrimas maternas e suspiros arrancados quase sangrando, Deus nos ajude! E os pensamentos de dona Laura sobem ao atá pra céus muito vagos e rezam de mistura pra Nosso Senhor, santa Maria Luísa e o Coração de Maria que é a igreja mais perto. E fica assim panema, calmando as pecurruchas. Estas, de tanto abrirem os olhos na expectativa medrosa, esqueceram o jeito de fechar as pálpebras. Quatro pupilas dum branco azul rolando nhampans no hol.

— Mamãe, será que está doendo muito pra ela?

— Não! minha filha...

— Eu não queria que Maria Luísa sofresse, mamãe...

— Mamãe! posso dar a minha boneca de celuloide pra Maria Luísa, posso!

— Pode, minha filha.

— Mamãe, quando que eu posso ver Maria Luísa, hein?

— Mamãe, mas depois você me dá uma boneca de louça pra mim?...

Clave de fá:

— Minhas filhas, vocês estão amolando sua mãe!

— Como vai ela!

— Sossegadinha. Está muito melhor.

Carlos, zuúm! que nem bala, montado no corrimão.

— Não lhe falei que não montasse mais no corrimão!

— Pra não fazer bulha, papai! Ela acordou! Está com uma bruta sede! Fräulein falou pra você fazer um chá!

E dona Laura se transfigura. Junto da doente, morrem todas as coragens dela, se põe chorando amalucada, quer se mover e não atina com o que vai fazer. Porém sabe fazer chás! Ah! nenhuma das mães desse mundo bem doloroso fará mais perfeito o chá de canela ou de erva-cidreira! Dona Laura parte alvoroçada, triunfante.

— Como vai nhã Maria Luísa?

— Está melhor, Matilde, obrigada.

— A senhora pode deixar, eu preparo o...

— Eu faço o chá!

Não se ofenda, Matilde, mãe com filha doente não pensa em ares de boa educação. Está certo. Dona Laura volta com a mais carinhosamente preparada das pussangas, sobe as escadas exaustivas, faz questão de levar, ela mesma! a bebida pra Fräulein. Só pra Fräulein, que na porta do quarto lhe amolecem as pernas, fica boba, os olhos se cegam de lágrimas.

— Ela vai bem, dona Laura. Mais alegrinha até. E quase sem febre.

— Deus lhe ouça, Fräulein! Eu espero a xicra aqui, não tenho coragem pra ver minha filha sofrer!

E espera recurvada. Qual! assim não pode ser! enrija o corpo, lhe riscam fuzis de temeridade no olhar novo, entra no quarto.

— Minha filha! está melhor!

Maria Luísa tira da porcelana as fitinhas brancas dos beiços e sorri no martírio. Dona Laura petrificada. O vidro fosco da brancarana a espaventa, pensa que a filha vai morrer. Recebe a xícara quase sem gesto. Enquanto Fräulein ajeita de novo a doente nas cobertas, dona Laura parte sem dizer nada. Mas outra vez não sabe o que a domina e move, bota a xicra numa cadeira qualquer, vem ajoelhar junto da filha, rosto a rosto, filhinha!... Em soluços convulsos, parte arrebatada. Maria Luísa se espanta, primeiro. Depois pretende se rir, que já conhece as manias da mãe. Porém sempre fica essa dúvida...

— Fräulein...

— Que é, Maria Luísa?

— Fräulein, diga mesmo... eu vou morrer, é!

— Que ideia, Maria Luísa. Não vai morrer não. Você já está muito melhor.

Tem uma raiva dessas mães exageradas. Brasileiras. Fala com tão férrea certeza aquele "você já está muito melhor", que Maria Luísa quase sente-se boa. A enfermeira enxuga o rosto da menina, lavado pela manha materna. Dá novo arranjo nas cobertas.

— Carlos.

— Pronto, Fräulein!

— Leve essa xícara que sua mãe deixou aí.

Carlos atira um sorriso de conivência pra Maria Luísa e vai. Escrevi "conivência"... De caso pensado. Conivência é duma exatidão psicológica absoluta. Carlos se mostra alegre, despreocupado, não vê a doença e vai-se embora. O que não é visível, existe?

— Fräulein, fique no quarto comigo.

Não responde. Puxa uma cadeira junto da cama, vê mais uma vez se tudo repousa na ordem. Não, Maria Luísa não carece de mais nada. Senta e abre o livro na marca. Relê *Die Weise von Liebe und Tod*. Se embrenha na melodia deliciosa, pronta a abandoná-la a qualquer momento, sem a mínima impaciência.

São duas semanas de maternidade pra ela. De maternidade integral. Teve momentos em que parecia mãe de todos, tal qual o dedo maior da nossa mão. Até de Sousa Costa. Todos pareciam nascer dela, dela se alimentar. Menos Carlos, recalcitrante, com intuitiva repugnância por incestos. Servo, cachorro de guarda, isso sim. Nada pedia, sossegara. Porém como servo estava sempre ali, como filho nunca!

Maria Luísa, então, nem podia ver Fräulein se afastar. Não tanto por causa do bem-estar, mas me deixem que afirme: Fräulein era uma certeza de salvação. E sabia se dedicar. Quando preciso o sono se adia pra noites mais desimpedidas. Muito bem. Não direi que ela gostasse da menina, gostava não. Pelo contrário, lhe tinha certa antipatia. Muito natural, pois se raramente adoecia. Porém apresentou-se a enfermeira sonhada: severa, sadia, solícita, pra usar unicamente esses. Maria Luísa fixa os olhos nela, Fräulein lê; Fräulein vela. A doentinha redorme encorajada. Quando acordar trará forças novas. Que coisa misteriosa o sono!... Só aproxima a gente da morte, para nos estabelecer melhor dentro da vida...

Reque... reque... atrás. Fräulein nem se volta, sabe que Carlos vela também. Porém por que não se voltou! Deitada sobre o assoalho, no desvão da porta, a cabeça dele. Isso Fräulein havia de ver. E que dois olhos grandes a adoravam.

Os frios de julho se temperavam mais agradavelmente no Leme, e as brisas salinas, mornas, confortáveis, convidavam pra caminhadas de branco na praia. Plena felicidade pros amantes. Plena? Fräulein dorme no quarto de Maria Luísa. Porém pelas manhãs, depois do banho, esta se deixava ficar no terraço do hotel, quase cansada, num convalescer feliz, desapressado. Então Fräulein saía com as pequenas. Carlos acompanhava as irmãs. Perfeitamente.

Andava-se rápido no começo, pra diante. As crianças corriam, falando alto, discutindo. Que discutiam? Discutiam incansavelmente a força das ondas. A força das ondas. Você está escutando bem? As crianças discutiam incansavelmente, todo santo dia, o ponto da praia que as vagas irão atingir. Por que discutem assim? Por divertimento. Por jogo, brincadeira. Pra adivinhar, só pra isso. E depois ficavam maravilhadas porque erravam. Que bonito! luta infantil, inútil, sem meta... Coisa de muita boniteza, brincalhonas!

Não e não, infelizmente. Nem estavam maravilhadas, nem era inútil o brinquedo. Repare nos olhos de Aldinha, Laurita de lábios trementes.

— Chiii! Laurita aquela!!... Aposto que chega até aqui!

— Não chega!

— Você quer ver como chega!

E vinha o triunfo de Laurita:

— Está vendo!... Eu disse que não chegava!

Por jogo discutem as crianças. Mas também por avidez e briga. Aldinha sentia-se batida e sofria. Muito? Muito. Porém depois gozava com a reflexão: antes assim! se a onda chegasse até junto dela, meu Deus! teria medo... Antes assim! Ah! Laurita, Aldinha, vosso brinquedo me melancoliza... Vós não brincais por brincadeira, não... Brincais por treino, exercendo em diminutivo a angustiosa adivinhação da existência...

O mar mapiava que nem boca malcriada, lançando o cuspe da espuma pro céu. O andar germânico rápido de todo aos poucos se latinizava. O passeio de função virava invenção. Fräulein abaixava a cara. Disfarçava um pudor inexistente com esses modos do pé atingindo conchas entressepultas, pisando o rastro das meninas adiante. E falava de amor. Hoje repisa o assunto da véspera. Carlos carecia de reconhecer que no amor, sem sacrifício mútuo, não tem felicidade nem paz, não é?

Este capítulo dava sempre desgostos pra ela. No entanto estava certa de que tinha razão. E se esmerava eloquente, não se esquecendo nunca de contar o caso de Hermann e Dorotéia. Porém não impressionava os discípulos. Aceitavam com facilidade, isso aceitavam, concordavam, olhavam pra ela francos, olhos rasgados com o luar da abnegação: oh! sim! me sacrificar por ti!... E chegava o mal-entendido. Um menino alemão é possível que entendesse bem, mas estes brasileiros úmidos... Não se lembravam mais da felicidade comum, nem da tranquilidade do lar. Se sacrificar!... Era o sacrifício por ela, pela amada, isto é pela alma da amada! Isto era o que entendiam estes brasileiros úmidos.

Chegava o instante do exemplo, Fräulein mostrava um sacrifício, um qualquerzinho, primeiro a aparecer, abstinência de prazer por muito tempo, um dia. Caíram na esparrela, tinham que ceder. Numa obediência escolar, imóveis, invernos, tiriricas por dentro. Depois se aproximavam dela, com alguma timidez, não tem dúvida, desapontados, sorrindo. E pediam. Relavam nela, femininos que nem gatos e pediam. Pediam com tanta graça, punham tanta humildade (umidade) no pedir, tanta pobreza... Que tristura sorridente caía dos olhos deles! Porém, frágeis implorantes assim, enlaçavam a moça os déspotas. Fräulein se abatia mas recusava. Os déspotas apertavam. Fräulein tinha uma fraqueza. Tão gentil o pedido, tão envergonhado!... Aqueles braços vencedores, ôta! como apertavam... olhos tão cheios dela, entregues... cedia. Seria monstruoso não ceder. Amoleciam-se os braços dela, já pegajosos pro enlace.

Outras vezes emperrava na recusa. Seria monstruoso não recusar. Pois os rapazes se zangavam, meu caro! sim senhor! Falavam alto, soltavam uma porção de bocagens, saíam batendo com a porta. Que escutassem! antes assim, se acabava tudo duma vez! Era a desgraça, o escândalo. Antes assim! Que importava pra eles escândalo, desgraça! Fräulein? Uma... xingavam.

Cedendo ou não cedendo, todas as vezes com a mesma inalterável paciência, ela sofria a mesma inalterável desilusão profissional.

Passeava-se muito no Rio. Esse dia, devido às instâncias do calor, Sousa Costa concordou em tomar parte na alegria da natureza. Tomar parte, não: assistir a. Chamou um automóvel. Vamos fazer a volta da Tijuca!

— Laurita, venha cá. Você também, Aldinha. Olhem: mamãe vai fazer uma visita com papai, demora um pouco. Por isso vocês vão com Marina passar o dia na casa de Baby e do René, ouviram? Se ficarem bem quietinhas, mamãe traz um presente da cidade pra vocês.

— Mas... mamãe! Maria Luísa também vai na visita!?

— Também, Aldinha. Vamos todos.

— Eu queria ir também...

— Ora! Já está fazendo feio já! Assim mamãe não gosta!

— Ela traz um presente pra você, Aldinha!

— É! Porque você vai, sabe!... É passeio, agora!...

— Ô, Laurita, então eu te enganava assim! É visita, juro!

— Deixe eu falar, Maria Luísa! Olhem, minhas filhas, fica muita gente no automóvel. Baby é tão boazinha...

— Mamãe traz uma caixinha de música pra mim!

— Trago.

Dona Laura e Sousa Costa se olham, gozando. Caixinha de música... É isso: eles sempre acharam que Aldinha tem muito jeito pra música, vive tamborilando no piano... Algum gênio musical decerto...

— Laura, é o que te digo: vamos ter uma Guiomar Novais... — falava às vezes Sousa Costa. Que gosto pros pais!

— Eu quero um aparelhinho de louça!

— Trago também.

Quais seriam as tendências de Laurita? Porém os pais não se preocupavam muito com as predisposições, ponhamos, artísticas da outra filha. São sempre assim os pais: quando as esperanças se projetam sobre um filho, o resto são sombras mal reparadas. Que vivam, e Deus os abençoe! Amém.

O automóvel foi levar as crianças e Marina, a pretinha. Três quartos de hora depois a bandeira partia. Porém até que os verdes vençam as derradeiras audácias do urbanismo, temos tempo farto pra umas considerações. Todos subiram contentes pro automóvel, satisfeitíssimos. Mas vejo um estirão comprido entre a alegria de Fräulein e a desses brasileiros. Fräulein estava alegre porque ia se retemperar ao contato da terra inculta, gozar um pouco de ar virgem, viver a natureza. Esses brasileiros estavam alegres porque davam um passeio de automóvel e principalmente porque assim ocupavam o dia todo, graças a Deus! Sem automóvel e estradas boas jamais conheceriam a Tijuca. Fräulein iria mesmo marchando e de pé no chão. Esses brasileiros iam levar o corpo se gastar. Fräulein ia levar o corpo ganhar. O corpo desses brasileiros é fechado, o corpo de Fräulein é aberto. Ela se igualava às coisas de terra, eles se resguardavam indiferentes. Resultado: Fräulein se confundia com a natureza. Esses brasileiros sofreriam o gosto orgulhoso e infecundo da exceção.

Ponhamos Carlos de lado, o caso dele é mais particular. Está contente porque Fräulein está contente. O alegra estar junto da amante, só isso. E amor satisfeito, entenda-se, senão dava em poeta brasileiro. Carlos desconhece a Tijuca. Depois do passeio continuará desconhecendo a Tijuca. Em última análise pra Carlos como pra esses moços brasileiros em geral: A Tijuca só é passeável com mulheres. Se não: pernada besta. Ora pinhões! ver árvores e terras... Se ao menos fossem minhas... cafezal...

Fräulein parecia uma criança. Criança brasileira? Não, criança alemã. Diante da natureza, eu já falei, o alemão também tem as suas admirações. Dava risadas, se virava pra olhar mais uma vez as vistas que ficavam atrás, voltava temendo perder as novas que passavam. Mil olhos tivesse, gozaria por mil olhos mil vezes mais. Aliás mesmo que fosse feia a paisagem, gozaria da mesma forma. Era o contato da natureza que sensualizava Fräulein, mais que o gozo das belezas naturais. Nem criança! animalzinho. Potranca na invernada, ema, siriema, passarinho. Os outros olhavam pra ela espantados quase escandalizados. Ridícula, não?

Menos Carlos. Carlos se sentia orgulhoso e sorria, amparando com os olhos a feliz. Como era bonita e dele só! Ela fremia. Ela vibrava e se entregava inteira aos enlaces faunescos do cheiro e da cor. Que se mostrasse assim amante corajosa, desavergonhada e confessada da terra, Carlos não tinha ciúmes. Era inteiramente normal, nós sabemos. Desprezava os sentimentos sutis.

Porém eu escrevi que Fräulein era o guri do grupo... Depois corrigi pra animalzinho. Estou com vontade de corrigir outra vez, última. Fräulein é o poeta da exploração. Exclama assombrada ante as águas que eschoam desabridas em arrepios de dor, com as entranhas varadas pelas itás guampudas. Porém logo deixa de olhar a Cascatinha, pra se extasiar diante dum arbusto. Aplaude a velocidade dos cipós. Crédula, escruta o canto misterioso, donde no meio dos troncos a sombra botou o olhar. Mas que lindas folhinhas verdes! olhe, Carlos! Carlos! que distração essa! Olhe! parecem envernizadas!

Depois teve um susto sincero nas Furnas. E verdadeiramente viu anões, duendes vadios. Alberico avançou pro colo dela a mão dum cacto, eriçada de unhas verdes, murmurou:

— Carlos...

— Estou aqui, Fräulein!

— Não faça assim! podem ver...

— Ficaram no automóvel... Ninguém vê!

— Assim não! é capaz de ter alguém por aí...

E tinha. O murmulho das águas gargalhou um "brekekekex" fanhoso e o monstro repelente surgindo da grota espiou a moça, como em Hauptmann.

— Que é isso, Fräulein! estou aqui!

Se ria envergonhada.

— Olhe aquela pedra! Que frio não? Carlos...

Ele nada via de admirável na pedra, admirou Fräulein. O próprio frescor, ele o gozava sem saber. Carlos apenas protegia a amada, era dever. Quedê os encantos da natureza? o zigue-zague dos ramos, o segredo das socavas? Carlos protegia apenas a amada dele. Muito bem.

Voltaram silenciosos pro automóvel, que o motorista fora chamá-los. Maria Luísa, curiosa daqueles sempre-juntos, que estariam fazendo? pretextara aborrecimento. Sousa Costa, de combinação com a filha, mandara chamar os dois. Isso também era demais, nas barbas dele!...

— Também, Laura, você devia ter trazido qualquer coisa, sanduíches... bolachas...

— Ora essa, Felisberto! Nós passamos na cidade, você podia ter comprado!

— Tudo eu, arre!... o que vocês ficaram fazendo lá dentro!

— Nada, papai, vendo! Você não sabe o que perdeu!

Se Sousa Costa explodisse, explodia ali mesmo. Mas era filósofo brasileiro, sabia que a explosão prejudica inda mais a brasilite que os trastes do arredor, olhou pro filho com uma raiva.

O automóvel debralhou. Mas nem os cabelos de Fräulein estavam mais despenteados que na véspera ou no dia seguinte. E sempre a mesma escandalosa, faladora, deslumbrada. Olhe a volta que nós fizemos! Eu morava aqui toda a minha vida! Será que Carlos não? Sousa Costa concluiu que não. Sorriu, chamou o filho de bobo e se acalmou, já reconciliado consigo.

Até dava dó tirar Fräulein do Excelsior. Felizmente os assentos do automóvel são tão cômodos. Dona Laura bocejava refarta.

Mandou chamar os sempre-juntos. Carlos veio correndo.

— Você chamou?

— Meu filho, vamos embora! Suas irmãzinhas estão esperando...

E Carlos enfim confessou a piedade desses brasileiros:

— Ah, mamãe... deixe Fräulein olhar mais um pouquinho!

— Parece que ela nunca viu uma vista bonita, coitada!

— Também na Alemanha é só neve.

— Não é, papai! E o Reno é tão cutuba! as florestas! Em Hamburgo tem um jardim zoológico que é o mais bonito do mundo! tem de tudo! E Berlim então?... Aposto que você não sabe o que é Friedrichstrasse!

— Ora, é uma rua!

— Ninguém perguntou pra senhora, Maria Luísa! Deixa sim, mamãe?... Vou subir outra vez!

Encontrou Fräulein acabrunhada, com vontade de chorar. A luz delirava, apressada a um vago aviso de tarde. Era tal e tanta que embaçava de ouro a amplidão. Se via tudo longe num halo que divinizava e afastava as coisas mais. Lassitude. No quiriri tecido de ruidinhos abafados, a cidade se movia pesada, lerda. O mar parara azul. Embaixo, dos verdes fundos das montanhas uma evaporação rojava o escuro das grotas, e o Corcovado, ver um morubixaba pachorrento, pitava as nuvens que o sol lhe acendia no derrame.

Fräulein botara os braços cruzados no parapeito de pedra, fincara o mento aí, nas carnes rijas. E se perdia. Os olhos dela pouco a pouco se fecharam, cega duma vez. A razão pouco a pouco escampou. Desapareceu por fim, escorraçada pela vida excessiva dos sentidos. Das partes profundas do ser lhe vinham apelos vagos e decretos fracionados. Se misturavam animalidades e invenções geniais. E o orgasmo. Adquirira enfim uma alma vegetal. E assim perdida, assim vibrando, as narinas se alastraram, os lábios se partiram, contrações, rugas, esgar, numa expressão dolorosa de gozo, ficou feia.

— Fräulein...

Abriu lentamente uns olhos alheios. O desconhecido estava perto dela. É Carlos. Ahn. Sorriu. Numa cidade escura da Alemanha... Ele entrava de...

— Vamos — suspirou.

Mas precisava de se retomar. Venceu a melancolia. Vieram descendo muito alegres, falando alto.

— Senhor Sousa Costa, eu nunca vi coisa mais linda em minha vida! oh, muito obrigada!

Sousa Costa sorriu pra ela, paternal.

— De fato, Fräulein... É uma beleza.

O automóvel em disparada rolou pelas ladeiras, se lançou nos abismos a pique sobre o mar.

— Se caíssemos...

Carlos protegeu logo:

— Não tem perigo, Fräulein!

— Que bonita ilha! Dona Laura, repare no mar! Ficou negro de repente! Nós estivemos lá em cima!

Numa das voltas olhando pra trás, viu a montanha curvada, com o sol lhe mordendo as ilhargas. Era Loge, deus do incêndio... As montanhas desembestavam assustadas, grimpando os itatins com gestos de socorro, contorcidas. Loge perseguia as medrosas, lambido de chamas, trinando. Fräulein escutou um xilofone, o tema conhecido. E o encantamento do fogo principiou para Brunilda.

O último ponto de parada foi a gruta da Imprensa. Fräulein desceu na frente, saltando os degraus rápida. Carlos seguia:

— Você cai!

Dona Laura nem se erguera do auto mais, pensava nas filhinhas. Sabia que os Camargos eram amigos, porém filhas não se emprestam pra ninguém, devem ficar junto das mães, não é verdade? Sousa Costa passeava na estrada. Aproveitava o descanso pra fumar. Maria Luísa inda na monotonia da fraqueza, descera as escadas também. Observava o fundo da gruta, pensando interrogativa nos tombos por ali.

Fräulein estacara devorando pela moldura das arcadas o mar. A tarde caía rápida. A exalação acre da maresia, o cheiro dos vegetais... Oprimem a gente. E os mistérios frios da gruta... Tanta sensação forte ignorada... a imponência dos céus imensos... o apelo dos horizontes invisíveis... Abriu os braços. Enervada, ainda pretendeu sorrir. Não pôde mais. O corpo arrebentou. Fräulein deu um grito.

Juruviá, juruviá duma vez. Semicerrara as pálpebras, uma ruguinha espetada na testa. Nem enxergava mais a vista sempre nova das águas, das montanhas. Praias largas enfim.

Tinham se assustado muito, dona Laura quase desmaiara, Sousa Costa correra. Viu a filha rolar pelos rochedos, ferida se debatendo, minha filha! O mar a engoliu. Maria Luísa inda estava pálida. Tremia. Só Carlos rira muito. Não compreendera nada, porém achara sadiamente muita graça naquilo: onde se viu dar um grito assim, sem mais nem menos! que impagável!... Agora olhava pra Fräulein de esguelha, inquieto com o burro da amada. Ela nem agradece tanta irmandade. Passaria muito bem sem ela. Mas já se preocupa em comercialmente jugular uma raiva por esses brasileiros.

Houve apenas um instante de sossego quando o pulman principiou gemendo, o trem partia. Então, depois de mais uma olhadela para ver se todos estavam mesmo ali bem garantidos, dona Laura se lembrou que era senhora de sociedade. Ergueu um pouco o busto, recolheu o ventre pra caber melhor dentro da cinta e tentou guardar os fiapos de cabelos que lhe choviam pelo rosto, pela nuca, pelas orelhas. Deu um suspiro de alívio, como trabalhara!

Na verdade não trabalhara coisa nenhuma, Fräulein é que fizera tudo. Marina, a pretinha, era inútil nos seus quatorze anos de sonho. Sousa Costa, esse fazia só pagar, pagar era com ele, ninguém mais calmo pra sacar a carteira do bolso e dar gorjeta boa. Mas o resto, não entendia dessas "coisas de mulher". Fräulein fizera tudo e, por felicidade, sem nenhum acidente. As malas estavam todas despachadas, e maletas, bolsas, sacos de viagem, os filhos, luvas, luvinhas, chapéus, Marina, Felisberto, Fräulein, a cesta com os sanduíches das crianças, tudo estava ali. Dona Laura deu um último arranjinho no decote pequeno que já estava despencando pra direita e ficou feliz. Fräulein ia sentada bem na frente dela. As crianças menores junto de ambas, já encarapitadas, amarfanhando os guarda-pós dos bancos de couro falso, olhavam pelas janelinhas abertas.

— Cas... Cascadura! Mamãe! a estação se chama Cascadura!

— Já sei, Laurita, fique quietinha, viu!

Sousa Costa baixara o jornal com o grito de Laurita. Mas se riu, a filha já estava lendo tudo. Dona Laura ficara meio incomodada porque diversas pessoas dos bancos da frente tinham se voltado com o grito da menina. Olhou o marido e sacudiu a cabeça, desaprovando. Mas Sousa Costa já mergulhara no jornal, sentado fronteiro à mulher, do outro lado do corredor central do vagão, com o resto do pessoal miúdo. Carlos, junto do pai, defrontava Maria Luísa.

Em frente de Sousa Costa, a pretinha Marina, imóvel, se agarrara com as duas mãos no banco, estarrecida, boca aberta, olhos esbugalhados, gozando. Como tinham ido ao Rio pelo noturno, esta era realmente a primeira vez que enfim Marina viajava de trem, a sua maior aspiração. Automóvel jamais a interessara, era canja, não tinha apito. Mesmo pra ir da casinha dela, na chegada de Jundiaí, para a vila Laura, foram buscá-la na fiat, não tinha apito. E nos seus quatorze anos, Marina guardava aquele desejo eterno com que, todos os dias de sua já longa vida, espiava os trens, trepada no barranco, os trens sublimes passando. A casa do pai dela, carapina em Jundiaí, era justo numa curva de apitar, e o apito nascera dentro dela como a suprema expressão da dignidade dos veículos.

Só uma coisa Marina ainda achava superior ao trem: ter dor de dente. Chegara a rezar a Deus pedindo que lhe mandasse uma dor de dente, nem que fosse uma dorzinha só, bem pequenina, porque achava muito lindo a gente andar com um lenço vermelho amarrado na cara. Achava lindíssimo. No tempo em que morava com a família, chegava a chorar de escondido, porque o Dito andava sempre de lenço amarrado na cara, maravilhoso, já todo banguela de tanto dente arrancado com dor. E ela com aquela dentadura branca, alvinha, sem uma dor... Chorava.

Laurita soletrava sempre:

— Ba... Bângu! Mamãe! essa é Bângu!

Maria Luísa se inclinou assanhada:

— É Bangu, Laurita! que boba!

Carlos caiu na risada. Também ele vinha se divertindo muito com a viagem de trem, era tão raro. A notícia da volta pra casa o pusera um dia inteiro excitadíssimo: Fräulein. Andou tomando uns ares circunspectos de homem. Nessa manhã, aproveitando um momento de sozinhos, dera um abraço tão encostado em Fräulein que ela se sentira enrubescer. Mas agora a viagem o distraía muito. Comprara uma revista pra imitar o pai, quisera ler, mas não sabia mesmo fingir. E as revistas já estavam com Maria Luísa, essa sim uma senhora, bem arranjadinha, com muita compostura ver Fräulein, de luvas, lendo sinceramente.

O trem já ultrapassara os subúrbios cantados por Laurita e desembestava aos pinchos mundo afora. O céu estava nublado, mas a pequena fresca da manhã já se fora. Por detrás das nuvens baixas havia um sol violento queimando. O ambiente era de luz crua, clara demais, e os olhos semicerravam batidos por uma poeira fininha, augustiosa, implacável, aveludando tudo repulsivamente. Todos os passageiros já tinham fechado as janelas, e vinham incomodadíssimos com as conservadas abertas por aquela família. Alguns viajantes dos bancos de trás se limpavam com estrépito, pra dar a perceber, indignados. Fräulein percebeu e falou baixinho com dona Laura. Esta, meu Deus! essas crianças! fez um gesto aflito e ralhou com o marido:

— Felisberto, feche essas janelas, faz favor! Veja que poeira!

Ele deixou a leitura, ia se erguendo, mas o trem deu um daqueles trancos da Central, todos se viram atirados de banda, e Sousa Costa foi parar em cima de Fräulein.

— Desculpe, Fräulein.

Carlos já fechara a janelinha do seu banco, mas não quis fechar a de Maria Luísa, feche você! Fräulein olhou-o. Ele encabulou muito, se ergueu, não! não se ergueu! Fräulein não manda em mim! mas foi se erguendo com má vontade, apertou a perna de Maria Luísa e fechou a janela. Sentou emburrado e mergulhou na revista só de pique.

Laurita chorosa deixava que Sousa Costa fechasse a janelinha:

— Ah! papai!... Assim não posso ler o nome da estação!

— Você lê pelo vidro, Laurita.

— Ah, não sei ler pelo vidro, pronto!

Aldinha não, nem se incomodou. Ajoelhada no banco, olhando os passageiros de trás, pelo espaldar que mal atingia, estava muito entretida em dar risadinhas para um menino quieto que vinha junto da mãe, no banco do outro lado. Era uma senhora norueguesa viajando com o filhinho de seis anos. No princípio ela sorrira no prazer instintivo de olhar a carinha gostosa da menina, mas depois ficara inquieta. Aldinha ria pro menino. O menino, muito agitado, não sabendo se podia rir também, consultou a mãe. Esta o maltratou com o olhar duro. E o pequeno voltara à imobilidade da boa educação, olhando pra frente muito. Mas lhe dava aquele desejo de ver se a menina estava se rindo pra ele, jogava muito rápido, muito atemorizado um olharzinho pra ela. E Aldinha ficava cada vez mais apaixonada.

A norueguesa fez um gesto de calor pra disfarçar, e trocou de lugar com o filho. Mas o trem pulava tanto que o menino se erguendo batera com a cabeça no banco da frente. Sentou chorando mudo. A norueguesa olhou com ódio pra Aldinha, e Fräulein, assim viajando de costas, captou o olhar da outra. Ficou envergonhada, aliás tudo a envergonhava naquela viagem brasileira, e tratou autoritariamente de fazer Aldinha sentar. Mas as crianças, com os pais ali, não obedeciam.

Aldinha sentara com maus modos, em cima duma perna, só pra não ficar direito. Mordida pela vontade de espiar o menino, principiou balanceando sobre a perna dobrada, pra se distrair. Um salto-mortal do vagão atirou-a em cima da mãe, ia caindo, Fräulein agarrou-a a tempo, Sousa Costa se ergueu para acudir, e nova guinada do vagão o atirou em cima de Fräulein outra vez. Agora machucou bem. Dona Laura assustadíssima. A negrinha botara a mão na boca pra não gritar, estarrecida. Maria Luísa, Carlos, Laurita, todos olhando inquietos. Sousa Costa, ah se pudesse matar! mastigava as sílabas, morto de vergonha:

— Fräulein... desculpe: este trem!

Laurita ficou com sede e queria água. Aldinha, muito desapontada com o sucedido, se lembrou de pedir também alguma coisa e inventou comer. E bateu uma enorme fome nela. Meio chorosa:

— Mamãe... tou com fome!

— Minha filha! meu Deus! é tão cedo!...

Laurita com a ideia de comer se virara espevitada. Carlos também. A negrinha também. Maria Luísa também. Só que desceu a revista dos olhos pra ver a solução do pedido, mas logo se lembrou de que era gente grande, ergueu a revista depressa, escondeu os olhos, sem ler, escutando o que a mãe resolvia. Batera uma fome catastrófica no pessoalzinho.

Dona Laura ficou completamente aflita. Não era ela quem tiraria a cesta do lugar nem faria coisa nenhuma, porém a paralisou um desânimo tamanho, que calor!... Olhou pra Fräulein, que baixou os olhos sem consentir. Ainda não era hora de dar sanduíche às crianças, tinham almoçado fartamente ao partir. Aldinha gemia, quase chorando já.

— Eu queria sanduíche...

E olhava Fräulein de soslaio, sentindo um gostinho em machucar a governanta. Dona Laura angustiada procurou os olhos de Sousa Costa. Ele sacudiu a cabeça muito contrariado, mexeu os ombros, com um ar de "o que se há de fazer, Laura!". Mas ficou imóvel, temendo desagradar Fräulein já tão machucada.

— Eu também quero!

Fräulein custou não tirar os olhos do chão e censurar Laurita. Mas a partida estava perdida mesmo. Resolveu sair daquele beco, mas só de irritação. Fez um sinalzinho a Carlos que não esperava outra coisa. Ele se ergueu com presteza, foi tirar a cesta do porta-maletas do alto, veio, se desvencilhando elástico dos trancos do vagão, depor a cesta no colo da amante. Que ternura teve por ela então! sentou a perna na guarda do banco, chegando muito pra encostar:

— Eu distribuo, Fräulein.

Dona Laura, acalmada, desejava se reconciliar com a governanta:

— Fräulein, por favor, dê só um, ouviu?

— Um só não quero, é pouco!

— Laurita!

Maria Luísa não aguentara mais consigo, pusera a revista no colo, espiando a distribuição com avidez. Aldinha no chão, agarrada na saia de Fräulein por causa dos solavancos, espiava os sanduíches sem poder nem respirar de ansiedade. Nem bem pegou o que Fräulein lhe dava, arrancou outro da cesta, se esgueirou sem noção do perigo...

— Aldinha!

— Meu Deus!

Sousa Costa ainda estendeu os braços pra ver se alcançava a filha. Ela atirada, batendo-se, foi cair no colo da norueguesa que a salvou. Aldinha, inconsciente do tombo frustrado, estava era triunfante, sorrindo, oferecendo o sanduíche amassado ao namoradinho. O menino olhou pra mãe bestificado. Todos tinham se erguido com o susto e sacolejavam ao vendaval, menos dona Laura, coitada, que num esforço hercúleo ainda estava se desatarraxando do assento, pra se voltar e ver o desastre horrível. A norueguesa, sustentando sempre Aldinha com uma das mãos, varria do colo as migalhas de pão, de queijo. Foi um minuto de angústia absoluta. Sousa Costa, envergonhadíssimo outra vez, já segurava a filha, tentando trazê-la consigo. Mas Aldinha forcejava, triunfante sempre, falando:

— Coma, menininho!... é booom!

Afinal a norueguesa falou qualquer coisa com o filho que se levantou, roxo de timidez, estendeu dois dedos, agarrou o sanduíche e murmurou não sei o que lá. Aí a mãe sorriu, falando de novo. O menino repetiu em português certinho, devagar:

— Muito obrigado.

Aldinha arrastada pelo pai, olhando pra trás, queria ficar lá. Dona Laura e Sousa Costa, no íntimo, estavam satisfeitos com o desprendimento da filha. Não há dúvida de que lhes assustava muito o recato essas simples aparências de contágio com desconhecidos, mas enfim a estranha era visivelmente uma senhora distinta.

Fräulein até sentia vontade de chorar. Meio que esquecera a distribuição dos sanduíches, perdida nos seus mundos, cestinha fechada. Laurita comendo, voltara a esperar tabuletas que pudesse ler. Maria Luísa não sabia ocultar mais a impaciência, e Marina, pela primeira vez, saía do seu estarrecimento, se mexendo no lugar, lambendo os beiços. Carlos ficara desapontado por não receber um sanduíche também, mas já desistira, não tinha fome nenhuma. Percebeu que Fräulein estava sofrendo e se tomou de ardor por ela. Quase a abraça no pretexto de erguer a cesta pra guardar e lhe roça a mão no seio. Fräulein sobressaltada sente-se nua no vagão, dá um gritinho, agarra a mão de Carlos com terror.

— Vou guardar a cesta, Fräulein!

Ela, inteiramente desarvorada, fala por falar!

— Você também quer um!

Carlos fica no ar, aceita? recusa? estava com tamanha fome! Se salva:

— Papai, você quer um!

— Não.

E quem salvou foi Maria Luísa que não se conteve mais:

— Me dá um... pra exprimentar...

Então Fräulein abriu a cesta devagar, remoendo os gestos, parecia muito calma, tirara a mão de Carlos dali. E deu sanduíches. Deu, era pra dar, não é? deu, deu pra Maria Luísa, deu dois, deu pra Marina que ficou sufocada de comer na frente dos patrões, deu, ara, Carlos também devia estar querendo, uma criança afinal... naquela idade alemão é criança... deu.

Carlos ainda teve ímpetos de recusar, homem não come sanduíche no trem.

— Você também não quer, Fräulein?... — implorou.

— Agora não, depois.

E um tranco horrendo atirou-o com cesta e tudo para o lugar dele, que calor!... Mas não se podia abrir uma janela. Se a poeira espessa abafava o ambiente, sujando de pardo qualquer suor, janela que se abrisse, principiavam entrando no vagão os carvõezinhos que a máquina enviava a todos, e tudo se pontilhava de preto. Alguns vinham incandescentes ainda, queimando em quanta fazenda pousavam. Agora Aldinha pedia água. Dona Laura tinha um sulco no rosto porque limpara o suor empoeirado. Fräulein quis avisar, mas não avisou. De raiva.

— Barra Mansa! Mamãe... como que era a outra Barra que eu falei!

— Que barra, minha filha?

Dona Laura não podia de calor. Abrira mais um botão da blusa, só mais um, mas o trem sacolejava tanto, agora é que as fazendas não paravam, despencando pros lados. Fräulein estava despeitadíssima, com aquele rego de dois seios imensos bem no nariz dela. Laurita, gritando pra se ouvir naquele estardalhaço de ferragens:

— Ara, aquela estação! eu falei que era Barra não sei do quê!...

Houve uma rápida inquietação na família, ficaram dolorosamente envergonhados. E com efeito alguns passageiros sorriram, era visível que sabiam que Barra era. Mas ninguém na família se lembrava mais, não tinham prestado atenção. Só a pretinha, que escutava tudo, devorava tudo, decorava tudo. De repente deu o riso esganiçado, botou a mão na boca assustada e gritou sem querer:

— Ih... Barra do Piraí!

— Como que é, Marina!

Todos a olhavam agora. Isso Marina caiu numa gargalhada de "ih-ihs" histéricos, que não parava mais.

— Diga, Marina! não seja boba!

Mas a pretinha não podia mais de vergonha, se ria, se ria, contorcia-se toda, botando agora as duas mãos espalmadas na frente da cara. Sousa Costa estava indignado. Foi preciso dona Laura entrar com toda a autoridade dela:

— Marina, que é isso! Diga o nome... pra Laurita!

A pretinha abaixou as mãos, ficou muito séria, estarrecida mesmo, com os olhos brancos, esbugalhados, tomando a cara toda. Falou devagar, estatelada, num sério de quem ia morrer:

— Barra do Piraí?!

Como que interrogava, assombrada de saber. Todos sossegaram e Laurita voltou a olhar a paisagem, enquanto duas lágrimas grossas rolavam pela cara da pretinha.

Pois foi nessa viagem que se deu a anedota famosa, dessas que ficam recordadas sempre nas famílias feito troféu. Laurita de vez em quando voltava àquela implacável solicitude de gritar a todo o vagão o nome das estações que chegavam. Dona Laura, seios arfantes, arranjando pela milionésima vez o decote despencado, agora não se aguentava mais de calor. Olhou com desespero a vidraça da janelinha fechada. Umas casas, casas escoteiras, sem arruamento, se ajuntavam cada vez mais numerosas na paisagem. A sufocação de dona Laura pressentiu que o trem diminuía a marcha aos trambolhões. Decerto alguma cidade maior... iriam parar mais tempo e se abriria as janelas pra arejar o vagão... E na espera ansiosa, pra que foi que dona Laura se lembrou de perguntar a Laurita o nome daquela estação! Laurita encostou o rostinho na vidraça, gloriosa de prestar um serviço à mãe. Mas gritou no estardalhaço:

— Não se enxerga, ainda... Já falo, mamãe! — e amassava o nariz contra o vidro. Sousa Costa, com medo de algum fracasso da filha, espiou em roda. Vários viajantes esperavam também, abatidos, alguns se erguendo, sorrindo com paciência. As casas agora já chegavam arruadas, lerdas. O trem parava aos pedaços. Laurita gritou:

— É... é Mi... Mi-quitó-rio! Mamãe! é Miquitório!

Dona Laura, Fräulein se sentiram morrer. Mas desta vez Sousa Costa, perdido por completo o controle, se ergueu, iria bater na filha. Fräulein meio se levantou pra salvar o decoro, buscando evitar a palmada. O trem parou num tranco e os dois, Fräulein com Sousa Costa abraçados, afundaram nos peitos de dona Laura. Sousa Costa enojado se desvencilhou num tempo, deixando Fräulein lá. Ia... O vagão todo se escangalhava de rir, até a norueguesa. De repente Sousa Costa não soube mais o que ia fazer. Xingar a Central do Brasil? jurar que nunca mais viajava de trem? Dona Laura, com ar de muito machucada, arranjava o decote. Pedir desculpas? bater na filha, isso nunca! jamais Sousa Costa havia de pôr a mão num filho. E como um bólide tenebroso veio surgindo dentro dele, veio engrossando, Laurita era filha dele! o bólide já estava estrondando dentro dele, não sabia, um desespero gigantesco e lusitano de desatravancar a vida numa piada bem grossa, se igualar à filha, se igualar ao impudor dela, rirem assim duma criança, ela era inocentinha, o bólide já se desfazia sem arrebentar, Sousa Costa desanimou duma vez. Sentou. Teve um desejo vago de sentar pra sempre. E falou muito queixoso:

— Não é Mictório não, minha filhinha... é Taubaté.

Na volta do Rio recomeçaram os encontros noturnos, que bom! Carlos evoluía rápido. Fräulein tinha já seus despeitos e pequenas desilusões. Por exemplo: ele demonstrava já de quando em quando preferências brasileiras e outras individuais que contrastavam com a honestidade clássica do amor tese. Tese de Fräulein. Se eu contasse tudo, a verdade, mesmo dosada, viria catalogar este idílio entre os descaramentos naturalistas, isso é impossível, não quero.

Ninguém negará no entanto que Carlos prefere a orelhinha direita da amada pros beijos de após ventura. Tal preferência existe. Nada tinha em Carlos de perverso, isso não, porém, palmilhando as larguezas da repetição, ele já estava se tornando conhecido de si mesmo. Tinha exigências risonhas, por instinto, demonstradas com despotismo calmo, satisfeito, muito seguro de si. Criança ainda e desajeitado, embonecava nele o homem latino, vocês sabem: o homem das adivinhações. Olhem como ele cruza as pernas, ara!...

Fräulein não apreciava essa concepção da felicidade. Os homens alemães, quando não são práticos e animais no amor, guardam sempre um certo jeito de obediência às leis naturais, mesmo dentro do requinte e da exceção. Parece tão natural aquilo neles!... Isto é segredo de alemães. Os latinos nunca atingem tais extremos. Em verdade eles divagam no amor, não acha? O alemão fica. Ponto-final. O latino ondula. Reticência.

E a gente então, os brasileiros misturados... Não acredito nas avataras indianas. Não acredito nessas vidas anteriores em que a gente foi um xeique das Arábias. Entretanto tantanam no fundo do mato... Negros pesados dançando o cateretê. Silêncio grosso de cheiros de cernes, folhas, flores, terra, carnes, queimados pelo sol. Olhos relampeando na escureza da noite sem sono. Então a imaginativa trabalha.

De primeiro surgiram teogonias fantasiosas, produto das multiplicações pelo Deus inicial. Depois fantasmas, lendas. Destas lendas provieram primeiro os animais, as plantas, as linfas, todos munidos dum poder de além, sacro, quase impossível. A imaginativa tinha aonde manobrar à larga, o deserto era imenso, o deserto das areias, das florestas e das águas. Quando tudo se povoou de milagres, as lendas pariram a casta dos homens ruins e a casta dos homens bons, coisas impossíveis ainda. Dessas divisões vieram as guerras. Guerra ou paz. Tudo pretexto pra cantigas, esculturas, danças. Tinem colares, chacoalham cores vivas, deuses, lendas, artes...

Porém quando não se dorme num mato ou quando a imaginativa não pode mais ultrapassar o recesso das tabas e a terra pisada das ocas, pra assuntar além das picadas, através das embiras, porque agora já se está dormindinho numa cama bem gostosa da avenida Higienópolis (que bem pode ser uma rua do Recife, uma praça de Porto Alegre) quando... meu Deus! a frase está muito longa, comecemos outra:

O brasileiro misturado não carece mais de criar teogonias transandinas, nem imagina descender dum jaboti notável, nem crê nas castas dos homens ruins e dos homens bons, nem nas oferendas votivas, nem na estilização duma efígie divina, nem por enquanto se preocupa com cafezais por plantar, nem mesmo sonha com a roupa nova que o pai lhe dará, pela primeira vez feita no alfaiate célebre da rua Quinze. Tem-se dezesseis anos e um amor fácil. A gente se levanta. Pé por pé. Chega na porta de Fräulein. Tantã... Dormia, Fräulein? Estou sem sono, vim pra cá.

Porém a imaginativa não abandonou as abundâncias dela, não pense, quer se gastar e faz muito bem. Pra que mais anhangas, jananaíras e batatões? Rudá protege bem os namorados. E estamos na rua do Recife, não tem perigo nenhum, medo pra quê! O velho deve de estar dormindo. Risinho. Até parece que o outro é bobo. Dormir? Tão gostoso amar! Suspiro. E uma boquinha na orelha esquerda de Fräulein. Não. Se prefere a direita, não é a mesma coisa. Por que, meu Deus! Por amor da invenção, preferência, livre-arbítrio. Aqui a latinidade se confunde com os índios songamongas e a negralhada relumeante. Deu-se um Fiat, rapazes! Foi criado o mito da orelhinha direita.

Está claro que Carlos não imaginou nada disso. Porém o beijo existe. E pra provar que existe de fato com existência real e não como fantasia literária do escritor, me vi obrigado a ir incomodar os coitados dos negros dançando no fundo do mato ao tantã. Agora todos escutaram o beijo.

Fräulein é que não compreende esse divagar sublimado. Corrosivo, ela pensa. No dia seguinte principia matutando com o desfecho, vem vindo a hora de acabar. Cumpriu a missão dela, o que sabia ensinou. O homem-da-vida e o homem-do-sonho passeiam braços dados. Quatro contos pra cada um. Vamos tomar um chope. Fräulein sente uma fraqueza, sorri de amorosa. Pobre Carlos, vai sofrer... Vem uma revolta: que sofra! e ela então? Grande Alemanha sem recursos, desmantelada. Tudo rapidamente. Porém permanece um desejo mole pelo rapaz. Talvez a ensombre um arrependimento. O homem-da-vida afirma: não. E vira o chope.

Mas agora se fala tanto nos sentimentos sequestrados... O subconsciente se presta a essas teogonias novas. Fantasia? Ninguém o saberá jamais. Minha vingança é que Freud não pode ter sensações de tantãs no fundo do mato. Nem pode sentir índios pesados, com dinamismos de ritual, dentro das gâmbias. Aliás nem Fräulein. Por isso é que falando de Carlos fui poeta, inventei. Falando agora de Fräulein, de Freud, de Friedrich, pra usar unicamente efes, endurece-me a pena um decreto de ciência alemã. De ciência alemã. Mas o homem-do-sonho dá um urro: não! E vira o chope.

Entre Sousa Costa e Fräulein se convencionara desde o princípio que aquilo não podia acabar sem um pouco de violência. A maior lição estava mesmo no susto que Sousa Costa pregaria no coitado. E então lhe mostraria os perigos que nessas aventuras de amor pecaminoso, pecaminoso? correm os inexperientes. Vocês todos já sabem quais são. Isso divertira muito Sousa Costa, representar a cena lhe dera um gostinho. Sousa Costa queria muito bem o filho, é indiscutível, porém isso de amores escandalosos dentro da própria casa dele lhe repugnava bastante. Não é que repugnasse propriamente... fazia irritação. Está certo: irritava Sousa Costa. O filho era dele, lhe pertencia. Que se entregasse a uma outra e ele sabendo, teve ciúmes, confesso. Se sente como que corneado! Tal era a sensação inexplicável de Sousa Costa pai.

Pois com o susto se vingava. O antessabor da comédia lhe multiplicou os momentos de sorriso, não se esquecera mais. "Depois pregamos um bom susto nele", falara à mulher naquela cena inquieta de explicações com Fräulein. Porém agora diante desta, na biblioteca, pensava melhor, aquilo traria incômodos. Caceteação! o menino ia fazer barulho naturalmente... E esse mal-estar que as estreias sempre dão...

— Mas Fräulein, não seria possível acabarmos de outra forma?... mansamente? Meu filho vai sofrer muito, é tão amoroso! Depois... depois eu falo tudo pra ele.

Porém Fräulein já sabe que Sousa Costa promete e não cumpre, insistiu. De mais a mais assim, violentamente, a lição ficava mais viva no espírito, isto é, no corpo de Carlos. O corpo tem muito mais memória que o espírito, não é? É. Além disso, por mais burguês e vulgar que seja um alemão, sempre de quando em quando lhe rebrota no deus encarcerado um desejo de tragédia inútil, esse mesmo que fez a renúncia de Werther e o mais inútil ainda sacrifício de Franz von Moor. Sem confessar isso, Fräulein desejava a tragédia, mesmo com o sacrifício da memória dela na recordação de Carlos.

O que Carlos ficava pensando dela... Porém como que isso lhe nobilitava o trabalho anterior, lhe redimia a profissão. Do quê?! Ah, consciência, consciência... O trabalho e a profissão de Fräulein eram bem nobres, a moça tinha certeza disso. Tinha certeza. Porém. Então ela se falava: se o senhor Sousa Costa não ensinar agora, não ensina mais. É preciso que ensine. O meu dever é não sair daqui sem que ele primeiro indique a Carlos os perigos. Mesmo com o meu sacrifício.

Por tudo isso insistiu. Assim a consciência adormece. *Get zur Ruhe!* Sousa Costa, já amolado, prometeu.

Dona Laura, avisada, aceitou suspirando. Matutou assim: afinal Fräulein partir... que maçada! Tomara ao menos que eu arranje depressa governanta nova! Até de novo se acostumarem todos juntos... E estavam tão bem assim!... Ninguém desconfiava de nada. As meninas progrediam tanto... Maria Luísa já tocava a *Marcha turca* bem direitinho até, quase que não parava.

Mas dona Laura teria pensado mesmo tanta coisa! Não pensou. Eu também por mim não pensei. Então quem foi? Volta aqui o limiar da consciência andando que nem badalo, pra cá... pra lá... Inconsciência... Subconsciência... Consciência... Pra cá... pra lá... É aqui! Então é consciência. Juro que não! Então o limiar é mais pra longe. Será?... Pra cá... pra lá... Dona Laura não falou nada daquilo, nem pensou. Porém aquelas ideias existem. A psicologia também existe. Pra cá... pra lá... E Fräulein partia mesmo, era inútil se lastimar.

— Paciência.

Carlos entrara no quarto de Fräulein. Mal tivera tempo de. Porém já machucara a amante, cruzando as pernas sentado. Tátão, tão, tão!

— Abra!

Meu Deus! entra Sousa Costa.

— Que está fazendo aqui, diga!

— Nada, papai...

Flébil, flébil, nem se ouvia. Sousa Costa acreditou que era um grande artista dramático. Voltou-se pra Fräulein. Por lembranças românticas franziu a testa.

— Ela não tem a culpa!

De pé agora, relampeando em nítida franqueza, heroico.

— O senhor tenha a bondade mas é de ir já pro seu quarto! Já vou lá também!

Carlos baixou a cabeça, partiu. Francamente: não soube que partia. Não soube que chegou no quarto. Não soube que se encostou na guarda da cama, senão caía mesmo, plorúm! desmanchado no chão. Não soube o tempo que passou. Nada. Enxergou a porta se abrindo. Ergueu a cara pro pai:

— Ela não teve a culpa, papai!

Não relumeava mais, mas sem implorações também. Emperrado apenas na própria verdade: quando uma mulher erra, só o homem é que tem a culpa. E, sem nenhuma temeridade, corajoso.

— Você está louco! Você sabe quem é essa mulher! E se ela agora te obriga a casar! Está muito bonito!

Carlos aterrado, casar! Que explosão de luz essa no cérebro! Luz ruim. Mas o apego a Fräulein subjuga todos os preconceitos, sociedade e futuro desaparecem, só Fräulein, o conchego de Fräulein fica. E ainda um pouco de coragem, cabeçudo. Flébil, flébil:

— Eu caso, papai...

— Bobo! Você não está vendo que é uma aventureira!

— Não é uma...

— Cale-se!

— Papai! mas ela não é uma aventureira!

Agora implorava. Que dó fazia na gente!

— Carlos, você é uma criança, Carlos! e não sabe nada, ouviu! E agora! E se tiverem um filho, como é! diga!! maluco...

Ah! isso acabou Carlos. Caiu numa cadeira, chorou. Sousa Costa já estava cansado também. Sentou-se e falou manso. Aliás por pouco tempo, nem reparou que não ensinava nada. Viu o filho chorando e teve amor, consolou. Felizmente ele estava ali pra acabar com aquilo. Porém que tivesse cuidado pra outra: não tem tantas mulheres sem perigo por aí, não o obrigasse mais a gastar dinheiro com essas coisas. Carlos tira a cara das mãos, quer ver se o dinheiro é verdade.

— Ela não recebeu dinheiro!

— Ah?! então você pensa que ela partia assim, sem nada, não é!...

— Quando!

Que dinheiro, nem baixezas! Fräulein partia! só isso Carlos escutou.

— Quando!

— Quando?! essa é muito boa! o mais depressa possível, amanhã cedo.

— Não, papai! não! Eu não faço mais nada!

— Como é! então você!!! Mas Carlos você está maluco duma vez! Parte! e é pena que não possa partir já, agorinha mesmo!

Perdia terreno. Voltou à ideia do filho, com que vencera de já hoje. Carlos recomeçou a chorar. Era horrível! casar ainda, mas ter um filho... UM FILHO! Não! era impossível! que medo! E como! Depois! Meu Deus! um filho... Um filho...

— E agora o senhor vai-me deitar e nada de barulhos, ouviu? Eu já falei que arranjo isso. Mas fique aí bem quieto e durma!

Saiu.

Um filho...

Um filho.

Um filho...

Um... filho?

Meu Deus! UM FILHO.

Se atira na cama.

... um filho...

Horroroso! Não raciocinava, não pensava.

... um FILHO...

Nem assombrações amedrontam assim! E Carlos não acredita em assombrações. Carlos espaventado, exausto, antes morrer!... Mas a noção da morte o acalma e retempera. Carlos principia se defendendo, pois não tem a menor intenção de morrer. Um filho?! Mas viria mesmo um filho?... Fräulein teria um fi... Fräulein partia... Vem a figura de Fräulein. Mata o filho. Que filho nem nada! Fräulein! O desejo de Fräulein. O desespero por ela! Não tem nada, tem Fräulein! o corpo dela, o calor dela... Carlos vai. Pra que precauções? Vira o trinco. Porta fechada, naturalmente. Empurra-a. Sacode-a com força. Se lembra de bater e bate.

— Fräulein!

Evidentemente ela não dormia.

— Quem é.

— Abra esta porta!

— Carlos, não posso! Vá dormir!

— Abra esta porta, já disse!

— *Mein Gott!* seu pai escuta, Carlos. Vá embora!

— Eu arrebento esta porta! Fräulein! abra a porta!

— Meu filho, que é isso! Não faça assim!

— Mamãe me largue! me largue! eu quero abrir esta porta, já disse!

— Mas meu filho tenha paciênc...

— Abra a porta, Fräulein!!

Clave de fá:

— Ocê está louco, Carlos! Não lhe disse...

— Não sei se estou louco! Abra esta...

— Meu filho você acorda suas...

— ... porta!

— ... irmãzinhas!

— Vamos embora!

Sousa Costa foi parar na parede.

— Fräulein!

— Carlos! você faz assim pra seu pai!...

Plam! pampam! plam!...

— Este menino... dou nele ainda!...

Sousa Costa apanharia. Isto é: não apanharia mais, Carlos está se cansando. Desilude-se, tudo está perdido mesmo... Não vale a pena lutar, brasileiro... Mãe e pai seguram ele. Nem carecia. Guiam aquelas pernas sem vontade. Isso sim, carecia.

— Fräulein, mamãe...

Nos seios de dona Laura é levado.

— Agora eu vou mas é fechar você a chave aqui!

— Felisberto, tenha um pouco de paciência! Meu filho! não chore assim!

— Vamos embora, Laura, deixe ele aí!

— Felisberto!

Sousa Costa foi pra cama. Ele bem tinha falado que o menino havia de fazer um barulhão. Estas alemãs que vão pro diabo que as carregue!

Dona Laura acalma o filho. Chora o filho, chora a mãe. Os dedos dela alisam os cabelos de Carlos. Ele nos braços maternos, molhando a mãe de lágrimas exasperadas. De quando em quando o soluço:

— Fräulein..

Flébil, flébil.

Aldinha com seis anos dormia. Certos barulhos não acordam as crianças de seis anos. Porém Laurita com oito e Maria Luísa com treze. Esta, assuntando da porta, olhos grudados na escureza, engole com volúpia os barulhos. Aprende. Laurita também escutava. Não entendia nada. Deitadinha, muito reta, com medo, sem falar um isto. Pensava? Laurita pensava que havia uma história triste. Fräulein com Carlos. Tal qual na fita da Glória Swanson. Mais atrás papai com mamãe. Depois vinham elas. Todos chorando. Carlos pagava o automóvel e apareciam as pessoas que costumavam visitar mamãe. Carlos não ia mais ao futebol. Elas ficavam com muita vergonha das visitas. Tudo muito embrulhado, vago, com sono. De repente Laurita pensou nítido que, se papai pegasse ela acordada e Maria Luísa na porta, tomavam um pito grande. Teve medo e principiou chorando, porque desta vez papai tinha razão. Adormeceu chorando.

O trem partia às seis e trinta, escolhera Santos. Bem que podia ficar em São Paulo, a cidade era bastante grande pros dois, porém o acaso dum encontro possível, só pensar nisso lhe prolongaria aquela ternura por Carlos. O irremediável consola mais depressa.

Além disso Fräulein se aborrecera de São Paulo. Por causa de Carlos. Não sei, mas tinha um sentimento de humildade diante dele. Lhe parecia muito sério isso. Careciam do irremediável. Pois então Santos. Ao menos pra partir: Santos. Campinas um segundo lhe passou na geografia. Seria possível a profissão dela em Campinas? Talvez voltasse pro Rio. Seis horas no hol, devia partir. Como vencer a ternura! Pediu pra Sousa Costa que lhe deixasse ver Carlos. Como negar? Dona Laura subiu, chorando já.

— Meu filho... acorde, meu filho!

— Que é mamãe...

Se ergueu sobressaltado, ainda sem pensamento.

— Meu filho, Fräulein vai embora... Você não quer se despedir dela? mas seja homem, Carlos!

Carlos de pé. Mal calçou os chinelos, se arranjar pra quê! Sujo de sono se atirou na porta, desceu as escadas, ficaram perdidos no abraço.

Chorando ele mergulhava a cara nas roupas desejadas. Nem lhes gozava o cheiro lavado. Fräulein, entre lágrimas, sorriu assim:

— Meu filho...

Sousa Costa repuxava os bigodes, bolas! Porém lhe doía a dor do filho. Dona Laura descia os últimos degraus. Um dos chinelos de Carlos estava ali.

Era preciso partir.

— Adeus, Carlos. Seja... muito feliz, ouviu? adeus...

Beijou-o na testa. Na testa, tal e qual fazem as mães. O beijo foi comprido por demais.

Se desvencilhava. Dona Laura ajudou.

— Filhinho... não faça assim!...

Os braços dele foram ficando vazios. Os braços dele ficaram compridos no ar. Ficaram compridíssimos. Foram descendo cansadíssimos. Teve uma vaga lembrança de que nem a beijara. Não, só um verbo naturalista: não aproveitara. E agora nunca mais. Porta que fecha. Sonolência. Não chorava. Foi andando. Parou calçando o chinelo. Subia os degraus.

Fräulein sacudida pelos soluços nervosos entrou no automóvel. Partiam mesmo. Debruçou-se ainda na portinhola:

— Meu Carlos...

Nada. Só Tanaka fechando o portão, se rindo. E uma casa fechada, toda num amarelo educado, senhorial. VILA LAURA. Quis lutar. Tolice sofrer sem causa. Derrubou-se pra trás largada, desinfeliz. Sousa Costa olhava de soslaio pra ela, sem compreender.

No primeiro andar a janela se abriu, que rompante! Carlos engoliu a avenida, buscando ver, querendo ver, vendo, o automóvel que sabia sem saber estava longe nunca mais, deserto só. Não estendeu os braços. Não gritou. Porém o olhar turvo escorreu pela avenida até onde! meu Deus...

Os raros transeuntes da aurora viam na janela um mocinho chorando, coitado! decerto perdeu a mãe...

Na estação Sousa Costa foi comprar o bilhete. Fez Fräulein entrar no vagão.

— Muito obrigada, senhor Sousa Costa. E... acredite, oh! acredite, desejo a felicidade de Carlos!

— Acredito, Fräulein. Muito obrigado.

Exausta, meio triste, ela olhava sem reparar a carreira das campinas. Estação de São Bernardo? Pensava. Quase sofria. Carlos. Era muito sincero, corajoso. Ora! E a raiva contra todos os homens quase que fez ela se rir, prevendo o desastre. Afastou com energia o ódio inútil. Se protegeu contra a imaginação, pensando no dinheiro. Assegurou-se de que a maleta estava ali, estava. Oito contos. Mais dois ou três serviços e descansava. Apesar de tudo, Carlos... que alma bonita, um homem. Tomou-a novo relaxamento de vontades. Doía. Talvez o amasse? Fräulein murmurou severamente o "não", quase que os outros escutaram. Sorriu. Uma ternurinha só. Muito natural: era um bom menino, e não pensemos mais nisso. Estava muito calma.

E o idílio de Fräulein realmente acaba aqui. O idílio dos dois. O livro está acabado.

FIM

räulein não age mais e não sentirá mais. Quando muito uma recordação cada vez mais espaçada, o pensamento cada vez mais sintético lhe dirá que viveu ano e pico na casa da família Sousa Costa. Não, isso não lhe dirá. Dirá que teve um Carlos Alberto Sousa Costa em sua vida, rapazola forte, simpático, que se aproxima dela sob a pérgola do jardim. Depois se afasta com a cabeça bem plantada na gola do suéter, vitorioso, sereno, como um jovem Siegfried. E só isso. Já tomou posse de si mesma. As citações lhe voltam à memória. Mais oito contos por colocar. E havia de vencer. Pra isso trabalhava sem férias, basta de reflexões. *Wer zuviel bedenkt, wird wenig leisten*, não dissera Schiller no *Guilherme Tell*? dissera. Pois então? De que vale agora pensar em Carlos?... Ah... Bocejava. A paisagem se esfriava, resvalando entre morros infantis. A chapada começava se arrepiando já. Os primeiros cortes escureciam o ambiente do trem. Davam impressão de crepúsculos intermitentes... numa cidade escura na Alemanha. Moço magro, pálido, acurvado pelo trato quotidiano dos manuscritos... Mês de outubro já frio. Ainda frio aqui. Fräulein veste o jérsei verde. Ele voltava da... do estudo. Jantariam... Alto da Serra. Foi tomar café. Sentou-se de novo. Estava tudo arrumado... Guardara a louça... Pusera a toalha... A maleta? Estava ali. Frases espaçadas no vagão. Alguém tosse. Tossia sempre... Resguarde-se, que esta neblina daqui é perigosa. Iremos passar uns dias de férias numa praia... Volta da Tijuca. O guarda vem pedir a passagem. Ela guardava os bilhetes pro concerto do dia seguinte... Iria enxugar a louça... Punha a toalha na mesa... Cantarolou

"Am Holderstrauch, am Holderstrauch
Wir sassen Hand in Hand;
Wir waren in der Mainzeit
..."

Boceja. Aterro nº 12. Talvez vá pro Rio. Estas montanhas são admiráveis.

"... Maienzeit, Die gluckdichsten im Land."

O idílio acabou. Porém se quiserem seguir Carlos mais um poucadinho, voltemos pra avenida Higienópolis. Eu volto.

A casa esteve imóvel nesse dia. Todos sofriam. Porque Carlos sofria. O próprio Sousa Costa sofria, porém era homem e voltara a achar certa graça no caso, aquilo passava. Os outros imaginavam que não passava. Isto é: não se preocupavam com esses futuros muito condicionais, o importante era o presente. E no presente pirassunungava a dor macota de um, todos sofriam. Até as meninas que, sem saberem por quê, estavam calmas. A própria curiosidade má de Maria Luísa deixara de exercer seus direitos de vida. Uma redoma descera sobre a casa, separando aquela gente da maquinaria da terra.

Carlos não saíra do quarto. Dona Laura deixara o filho com os soluços, ali pelas oito quando o retirou da janela. Mais de hora no mesmo lugar! É o que lhes digo. O almoço foi um pretexto para ela subir de novo. Mas Carlos não tinha fome. Então choraram juntos muito tempo. Depois o choro acabou. Ele pôde beber o chá que dona Laura preparou.

À noitinha apareceu na mesa da janta, que decepção pras meninas! não se via nada! Comeu pouco é verdade, muito digno, sem fraqueza, sem feminilidade. Não se via nada, porém se percebia que estava outro, estava homem. O bom homem que tinha de ser, honesto, forte, vulgar. Que seria mesmo sem Fräulein, só que um pouco mais tarde. Secundava com calma ao que lhe perguntavam os outros meio com medo. Lhe espaçava a fala aquele ondular dos vácuos interiores. Num dado momento Maria Luísa distraída botou o cotovelo sobre a toalha. Carlos corrigiu o gesto dela, sem irritação mas com justiça. Maria Luísa voltou-se pra ele assanhada, porém aqueles olhos tão de quem sabe as coisas, serenos. Maria Luísa obedeceu. Que lindo!

Acabada a janta, ele foi buscar o chapéu.

— Vai sair, meu filho!

— Andar um pouco.

Caminhou reto pra frente, pelas ruas desconhecidas, não, pelas ruas inexistentes, se sentindo marchar na alma. Veio a fadiga. Depois veio o sono, e então voltou. Entrando no quarto se fechou por dentro, que a mãe não viesse amolar... Sentou pesado sobre a cama. Quereria andar mais. Não tem sono. Uma desocupação grande. Olhando a luz.

A gente vê uma casa...

Paz.

A casa dorme no silêncio.

Sousa Costa seriamente preocupado, uma semana já e nada de melhorar... O rabicho tinha ido longe por demais. Se fossem pra fazenda?... Fossem, mas fossem todos, porque mandar o filho só, não convinha. Sousa Costa nunca abandonará Carlos nesse estado. E muito menos dona Laura. Não adiantavam nada, porém amor brasileiro é assim: puxa-puxa, contrai, estica, mas largar não larga mesmo.

O diabo era aquele fim das águas tão chuvoso... Colheita acabada... Não tinha nada que fazer lá. A chacra não dera nenhum resultado. Foram de automóvel, o caminho era quase que um lamedo só. Nem guiando o carro, Carlos teve a aparência de quem se divertia. Sujaram o automóvel, se sujaram... um desastre! E inda por cima a chuvarada na volta! É: só fazenda mesmo, largueza, cavalos, o rio, as criações... Diverte os rapazes. Mas a fazenda... Não tinha nada que fazer lá. Deixemos de precipitações! Melhor esperar mais um bocadinho, se não mudar mesmo, então vamos todos pra fazenda... paciência.

— Você carece de dinheiro?

— Não, papai.

— Tome.

— Mas pra quê, papai!

— Vá ao teatro hoje... Divirta-se, que diabo!

Sousa Costa tocara no assunto? Não tocou. Tocou. Assim de esguelha os pais consolam nossos filhos. Carlos indiferente botou a bolada no bolso.

Obedecer... Desobedecer... Obedeceu. Era um sábado, o teatro cheio. A comédia nacional é muito engraçada, aqueles brasileiros gesticulantes, que espevitamento! Parece até que se esforçam por falar as palavras com sutac purrtuguêss, não? E que pândegas! O público ria, ria. Lhe deu de sopetão uma raiva tal, não devia de estar ali, era traição à saudade dela. Saiu no meio do ato, incomodando os vizinhos, sem pedir desculpa.

A noite de outubro esgotado pingava uma garoa fria na gente. Carlos anda ao atá. Tomou mesmo o chope? Não sabe mais, andava. Ah, se soubesse aonde ela estava! Cerrava os punhos, batia as pernas um joelho no outro, se machucando. Anúncio luminoso, parou, não podia mais. Jungiu o corpo com os braços ásperos, querendo se partir pelo meio. Aonde ir? Restaurante MEIA-NOITE. Pra casa? Pro inferno? Pro acabar duma vez com aquilo! Apertou mais o corpo, uma palavrinha saltou: suicídio. O subconsciente, que prestidigitador! Tira da carne as coisas mais inesperadas! A gente não pensa — Jornais do Rio! *Correio da Manhã*, *País*, *Gazeta*!... — não quer, bruscamente espirra uma palavra sem razão. Suicídio? Carlos não se suicidará nunca, sosseguem, a palavra pulou sem ser chamada. Pulou. Caiu no chão. Carlos não se abaixa pra erguê-la. Quem passa, enxerga aquele rapaz parado na esquina, se apertando com os braços pelo meio do corpo, que posição esquisita! Foram pensando que era dor de barriga. Não era, não. Era jeito de perguntar, taquarambo, uma resposta já sabida:

— Não. Não sabemos aonde Fräulein está.

No entanto era tão fácil! Jornais do Rio! *Folha da Noite*!... Ela estava ali mesmo, perto dele, à disposição dele, bastando atravessar a rua mais uns passos e portar na Pensão Mme. Bianca (Familiar). Com cem bagarotes então, a gente caminha mais um pouco e a encontra no largo do Arouche, novinhas, bonitas, ítalo-brasileiras. E se não quer gastar os cem, o cinema AVENIDA cerra aos poucos os olhos elétricos, gente que sai, gente nas portas, bulha de empregados apressados, se não quer gastar nem mesmo cinquenta, ela está ali prontinha da silva, por qualquer dez mil-réis, vinte, nas lojas de terceira ordem. Na rua Ipiranga então, ela espera

Carlos em pencas de quatro e cinco em cada casa. Está por toda a parte, a gente sabe. Carlos não sabe disso.

— Psiu... Entra, mocinho!

Não escuta. Cabeçudo, não quer escutar. Será que cultiva a própria dor? Nunca. Só que está muito maturrango no amor, inda não sabe. Não sabe que Fräulein não é a governanta alemã que. Nessa idade, bem entendido. O mesmo anúncio luminoso outra vez, LAPA TERRENOS A PRESTAÇÕES, Fräulein são dois braços, duas pernas, tronco, seios, qualquer cara, cabelos compridos. Nem mesmo cabelos compridos carece mais, Carlos ofega. A ladeira ficou cansada, não tem feito esportes. É isso: Carlos se lembra de que não tem feito esportes, fazer esportes, ora pra quê!... Banza ainda pelas ruas rarefeitas na neblina, viaduto. AO TATUZINHO. Táxi, patrão? Ali pelas duas horas, fatigado, sem cansaço, ardendo, abre o portão da avenida Higienópolis. Tem que se despir, é fatal.

Escuridão.

A colcha branca ondula toda, insone, por mais de meia hora, ver terremoto de teatro. Gira dum lado pro outro, se contorce. Vai se desarranjando, cai. Carlos principia a correr. Vai correndo cada vez mais rápido, depressa, 120 por hora... Pum! caiu. Dá um pulo na cama, respira ofegante, se ergue. Procura a colcha e se cobre outra vez.

Agora está dormindo.

A caridade faz milagres, faz. Aldinha entre as pernas do irmão, puxando a cara dele:

— Carlos! você não foi! Estava tão bonito! que engraçado!...

Ri riso espetaculoso, sem verdade, só pra ver se ele ri também. Carlos sorri. Meio medrosa:

— O palhaço, sabe? veio num automovinho...

— Não é palhaço, Aldinha! é Piolim!...

— Eu que conto! Veio num automovinho, sabe? grande mesmo! Depois pegou na buzina...

— Primeiro ele levou um tombo, Aldinha!

— Um tombão! Engraçado, não? Caiu de perna pra cima... Laurita! como foi que ele falou!

— Viva a República!

— É! Depois ele pegou na buzina, buzinou, sabe? e a buzina não buzinava! Então Piolim espiou dentro da buzina...

— Não foi assim!

— Foi!

— Primeiro o dono do circo ficou parado no meio do circo...

Carlos brinca os beiços vadios na cabeleira de Aldinha. Esta agora escuta, vivendo-o, o caso do palhaço. Pronta pra corrigir Laurita que:

— ...então Piolim amontou de novo no automovinho...

— Tão bonito, Carlos! Olhe! deste tamanho!

— ... e queria passar mas o dono do circo estava parado na frente...

— Ele não via, Laurita!

— Pois é, o...

— ... o dono do circo estava olhando do outro lado. Então o palhaço, sabe? apertou assim na buzina e a buzina não buzinava. Então ele foi buscar o anzol e enfiou ele dentro da buzina, imagine o quê que ele pescou! Um pé de botina! velha mesmo! ihih... Então ele calçou a botina no pé. Tinha uma meia toda escangalhada e... Como é mesmo que ele gritava?...

— Arre, Aldinha! Viva a República!

— Viva a Repúblicaaa...! e saiu no automovinho, sabe?...

— O dono...

— ... do circo levou um tombo tão engraçado! sujou toda a casaca dele! E Piolim foi-se embora muito contente, dizendo adeus pra gente com o lencinho amarelo, tinha também ih!... um cachorrinho, sabe?...

— Minha filha, você está caceteando seu irmão...

— Não está, mamãe. Deixe ela.

E as meninas contam uma porção de casos engraçados. Carlos sorri. Passeia os beiços desempregados na cabeleira da irmã.

— Não foi assim, Aldinha!

— Foi! Deixe eu contar! A japonesa, Carlos?...

Quando aquilo acaba, Carlos se ressente. O flautim, o reconto, a anedota... Isso afasta. Afasta o quê? Não sei. Carlos não quer afastar coisa nenhuma. Aceita corajoso toda dor. Porém que pena a pararaca ter parado de falar!... O flautim, o reconto, a anedota... Não tem dúvida: isso afasta. As imagens da saudade entulham tanto o caminho!... Varra isso daí! Tenho pressa e a vida inteira ainda por viver...

Carlos sentiu que já estava de luto aliviado. Ao abatimento surdo e desespero dos primeiros dias, continuara uma tristeza cheia da imagem de Fräulein. Quer dizer que a amante principiava a ser idealizada. Breve se chamaria Nize, Marília, Salutáris Porta e outros nomes complicados. Não, isso pra Carlos é impossível. Breve Fräulein irá pra esse sótão da vida, quartinho empoeirado, aonde a gente joga os trastes inúteis. Até desagradáveis. Mas por agora ela apenas fora viver num quarto andar. Sem elevador. Carlos já carecia de procurar a imagem dela muito alto.

E vinha sempre acompanhada de qualquer coisa cacete: o horror do filho, a mesquinhez dela, a exigência de casamento, do que escapei! teria mesmo recebido dinheiro?... Não recebeu. Então a imagem longínqua se aproximava apressada. Adquiria mais traços, se corporizava em representação nítida. Belíssima, enriquecida, ai desejo! E não desagradava mais. Fräulein, meu eterno amor!...

Talvez mesmo até nesses momentos ele intransitivamente pedisse qualquer corpo... Porém só tinha prática dum, não amarei mais ninguém! E o corpo de Fräulein vinha, sem atributos morais, sem exigência de casamento, sem filhos, sublime. Carlos aos poucos se exaltava. O ofego dolorido chamava-o à realidade. Severamente reprimia envergonhado a tendência para as torpezas e procurava de novo a própria tristura, buscando outra vez no quarto andar aquela Fräulein que... já muita coisa de convencional nessa tristura.

E ele sentiu sem confessar a si mesmo que chegara o momento de principiar esquecendo. Meteu-se na manhã, procurou companheiro de esporte, foram treinar futebol. Na avenida Higienópolis o telefonema avisou que ele almoçava com o Roberto. Mais um companheiro se juntara a eles. Passaram a tarde no cinema. Carlos fumou, pagou o chope, sorriu. Quase riu. De sopetão falou alto. Os amigos namoravam. Carlos por dentro se riu dos platônicos, tolos! grelar assim e mais nada!... tolos. Carlos não namorará.

Na avenida Higienópolis não conheceu mais a casa nem ninguém, era uma gente antiga que voltava. E porque forte, sem precisão de carinhos, a mãe, as irmãs se tornaram inúteis pra ele. Jantou se esforçando por conservar um jeito triste. As conveniências muitas vezes prolongam a infelicidade. Julgou mesmo a propósito recordar a imagem de Fräulein. Teve que subir quatro lances de escadaria interminável, se cansou. Pudera, correra tanto de manhã!... se tivesse avançado um pouco mais, fazia o gol... Tom Mix, que admirável!... O dia já lhe interessava bem mais que o passado.

Vinte e duas horas.

Carlos volta da rua Ipiranga.

— Mamãe! olhe Carlos!...

O corso da avenida Paulista se esparramava no auge. As quatro filas de automóveis se entrecruzavam de manso, espirravam na tardinha as serpentinas. Luís já abandonara outra vez o lugar junto do motorista.

— Mais uma, Luís!

Passava a serpentina para a irmã.

— Por que você saiu de junto do *chauffeur*? Você tem alguma coisa?

— ... tenho nada, mamãe! Você sempre pensa que estou doente!...

Estava bem. Benzíssimo. Fräulein entre os dois irmãos, na capota descida da marmon, recebeu nos olhos a cara cheia de confissões medrosas do Luís. Abaixou recatada o olhar.

— Mais uma, Luís! Luís, mais uma! que lerdeza. Me dê um maço logo!

— Também não brinca, Fräulein?

— Não gosto muito desses brinquedos. Prefiro conversar.

Olhou-o sorrindo. Porém como pintara no sorriso quase a máscara do desejo, tornou a baixar as pálpebras serenas. Varreu com elas o impudor e ficou inocente. Luís se chegara um bocadinho mais ou teve a intenção de. Muito feliz por descobrir essa correspondência. Também não gosta desses brinquedos ásperos, fazem cansaço na gente. E tantas pessoas desconhecidas. É tão melhor dentro de casa, onde a gente se conhece bem. Também preferia conversar. Com ela. Porém como não tinha nada que falar, desenrolava envergonhadamente uma serpentina.

Fräulein olhava-o, puxava-lhe da língua, fornecia assuntos, confiança em si mesmo. Luís progredia, porém lentamente, quase nada. E quando ela, no pretexto amoroso, agarrou a mão dele:

— Não estrague assim a serpentina, mau!

Luís já não retirou a mão. Só que ficou branco, trêmulo, se afoitando ao gosto do contato. Se pusera a espiar muito atento a cadeia dos autos, não via nada, plum! plum! coração pulando no peito. Fräulein retirou a mão. Trouxera consigo a fita desenrolada da serpentina. Luís docemente, que gostosura! puxava. Fräulein puxava. A serpentina se desenrolando. Tão divino o prazer que ele sentiu os olhos úmidos.

Fräulein pensava, relando a vista pela multidão. Luís lhe desagradava. Não era o tipo dela. Nenhum desses brasileiros, aliás... Queria alguém de puro, de humilde, paciente, estudioso, pesquisador. Chegaria da

Biblioteca, da Universidade... Qualquer edifício grande de pensamento, cheio de deuses disponíveis. Deporia os livros... cadernos de notas? sobre a toalha de riscado... Lhe dava o beijo na testa... Todo de preto, alfinete de ouro na gravata... Nariz longo, muito fino e bem raçado. Aliás todo ele duma brancura transparente... E a mancha irregular do sangue nas maçãs... Tossiria arranjando os óculos sem aro... Tossia sempre... Jantariam quase sem falar nada... Serpentinas paulistas a dois e quinhentos! Dois e quinhentos! A *Pastoral*. Iriam no dia seguinte ouvir a *Pastoral*... Ele se punha no estudo... Ela arranjava de novo a... alguém lhe chamou os olhos, conhecido, Carlos? era Carlos com as irmãs na Fiat. Instintivamente ela atirou uma serpentina. A fita rebentou.

— Ah!

Deu um gritinho horrorizada, acertara na testa dele, podia tê-lo ferido... Carlos olhou. Mandou-lhe um gesto rápido de cabeça, quase saudação. E continuou brincando com a holandesa. Fräulein se doeu, tomou com o baque seco nas entranhas. O deus soltou um gemido que nem urro. Esses deuses do norte são muito cheios de exageros. Carlos não fez por mal! foi mostrar que reconhecia e machucou. Fräulein, virando o rosto pra trás, seguiu-o com os olhos, quase amorosa mas já porém reposta no domínio de si mesma. Estava muito direito assim! E se venceu completamente com o raciocínio, numa espécie de felicidade. Estava muito certo assim. Ele amaria muito aquela moça. Era bonita. Rica, se via. Carlos casaria bem, na mesma classe. Os versos de *Hermann* e *Dorotéia* lhe confirmaram o pensamento:

"*Mehr wohlangestattet moch ich im Hause die Biaut sehn;*
Denn die Arme wird doch nur zulezt vom Manne verachtet,
Und er hält sie als Magd, die als Magd mit dem Bundel hereinkam."

O verso seguinte veio, sem ela querer: *Ungerecht bleiben die Männer...* repeliu-o. O mundo é tal como é. A gente deve aceitar sem revolta. Carlos casará rico. Perfeitamente.

E uma comoção materna se desencadeou no corpo dela, nem via mais Carlos, os olhos batendo de auto em auto pela gente colorida, Carlos... José... Alfredo já casado... Antoninho também já casado... E, *mein Gott*, tantos!... tomou-a maravilhosa alucinação. Estavam todos por ali amando. Felizes. Habilíssimos. Familiares. Ela era mãe de amor! Estava até bonita. Mãe de amor! Mãe...

Luís muito sozinho nos seus dezessete anos medrosos, esguio pela desilusão, se queixou:

— É Carlos...

... de amor!... Ela abriu os olhos da vida pra aquele. Ininteligente. Sarambé. Batido, sem mesmo vivacidade interior. Decididamente Luís lhe desagradava, e Fräulein não sentiu nenhuma vontade de continuar. Porém como ele apenas esperasse um gesto dela pra recomeçar o aprendizado, Fräulein molemente buscou entre as mãos dele a fita da serpentina. O gesto preparado aproximara os corpos. Ondulação macia de auto é pretexto que amantes não devem perder. Descansando um pouco mais pesadamente o ombro no peito dele, Fräulein se deixou amparar. Ensinava assim o mais doce, mais suave dos gestos de proteção.

NOTA

Este ditado vai ser feito com um Lied de Heine, que traduzi também metrificado, me dando por divertimento ver se conseguia incluir o assunto da canção em versos ainda menores e mais sintéticos que os alemães.

Comunicando a tradução a Manuel Bandeira, ele não só me advertiu que esse mesmo Lied já fora traduzido por Gonçalves Dias e publicado, como me fez o favor de, por sua vez, traduzir a canção no mesmo ritmo de seis sílabas empregado por Heine. Embora modestamente só pretendesse essa maior identidade rítmica, não há dúvida que a tradução de Manuel Bandeira é a que mais se aproxima do original.

Aqui vão as três traduções:
Peixeira linda,
Do barco vem;
Senta a meu lado,
Chega-te bem.
Ouves meu peito?
Por que assustar!
Pois não te fias ao diário mar?
Como ele, eu tenho
Maré e tufão,

Mas fundas pérolas
No coração.

Tradução de Gonçalves Dias:
Vem, ó bela gondoleira!
Ferra a vela — junto a mim
Te assenta... Quero as mãos dadas.
E conversemos assim.
Põe ao meu peito a cabeça.
Não tens de que recear.
Que sem temor, cada dia,
Te fias do crespo mar!
Minha alma semelha o pego,
Tem maré, tormenta e onda;
Mas finas per'las encontra
Nos seus abismos a sonda.

Tradução de Manuel Bandeira:
Vem, linda peixeirinha,
Trégua aos anzóis e aos remos!
Senta-te aqui comigo,
Mãos dadas conversemos.
Inclina a cabecinha
E não temas assim:
Não te fias do oceano?
Pois fia-te de mim!
Minh'alma, como o oceano,
Tem tufões, correntezas,
E muitas lindas pérolas
Jazem nas profundezas.

POSFÁCIO INÉDITO (S.D.)

Postfacio. A língua que usei. Veio escutar melodia nova. Ser melodia nova não quer dizer que feia. Carece primeiro a gente se acostumar. Procurei me afeiçoar ao meu falar e agora que já estou acostumado a lê-lo escrito, gosto muito e nada me fere o ouvido já esquecido da toada lusitana. Não quis criar língua nenhuma. Apenas pretendi usar os materiais que a minha terra me dava, *minha terra do Amazonas ao Prata*. Fugi cuidadosamente de escrever paulista empregando termos usados em diferentes regiões do Brasil e modismos de sintaxe ou de expressão mais ou menos gerais dentro do país. Certamente que muito errei, porém isso deve ser muito desculpado pra quem se mete num novo roteiro adonde ninguém inda nunca passou! A gente só tem até agora livros regionalistas como linguagem. Quanto aos grandões, os que sabem, não vê que têm coragem de se sacrificar pelos outros, façam o que eu digo, vivem a falar, dizendo pros outros abrasileirarem a língua porém eles mesmos vivem na cola de quanto Figueiredino chupamel nos vem da Lisboa gramatical. Eu tenho certeza de conhecer suficientemente a língua portuguesa pra escrever nela sem batatas e em suficiente estilo. Eu desafio quem quer que seja a me mostrar batatas linguísticas na *Escrava*, aonde atingi na prosa portuguesa uma solução que me satisfaz. Pois abandonei tudo e parti ignorante porém com coragem, tropeçando, me atrapalhando, tentando e tentarei sempre até o fim.

— A necessidade de empregar os brasileirismos vocabulares não só no seu exato sentido porém já num sentido translato, metafórico, tal qual eu fiz. A apropriação subconsciente das palavras, pra que elas tenham realmente uma função expressiva caracteristicamente nacional.

— Tem também o sabor *inédito* que este linguajar traz pro livro. E que fez pensar que com tal maneira qualquer novo livro meu no gênero, e qualquer tentativa de outro que coincidisse com a minha traria a monotonia e mostraria a pobreza e a pequena quantidade relativa dos modismos e brasileirismos vocabulares. Seria um erro pueril de visão crítica. Não tive a mínima intenção de procurar o curioso e nem o ineditismo depende de mim. Trata-se mesmo de acabar o mais cedo possível com o ineditismo desses processos e de outros do mesmo gênero pra que todas essas expressões brasileiras, quer vocabulares, quer gramaticais passem a ser de uso comum, passem a ser despercebidas na escritura literária pra que então possam ser estudadas, codificadas, catalogadas, escolhidas, pra formação futura duma gramática e língua literária brasileiras. Ninguém me tirará a convicção, arraigada já entre muitos dissabores, brinquedinhos depreciativos de amigos, diz-ques e falar mal por trás e injustiças, que se muitos tentarem também o que eu tento (note-se que não digo "como eu tento"), muito breve se organizará uma maneira brasileira de expressar, muito pitoresca, psicologiquíssima na sua lentidão, nova doçura e variedade, novas melodias bem nascidas da terra e da raça do Brasil. Essa expressão é muito provável que talvez ainda século passe sem que ela se diferencie suficientemente do português a ponto de formar uma nova língua. Não sei. E se tivermos uma língua brasileira é provável também que a diferença entre ela e a portuguesa nunca seja maior que a que tem entre esta e a espanhola. O importante não é aliás a vaidadinha de ter língua diferente, o importante é se adaptar, ser lógico com a sua terra e o seu povo. Falam que pra que tenha literatura diferente carece que tenha língua diferente... É uma semiverdade. Pra que tenha literatura diferente é só preciso que ela seja lógica e concordante com terra e povo diferente. O resto sim é literatura importada só com certas variantes fatais. É literatura morta ou pelo menos indiferente pro povo que ela pretendeu representar. — O problema sobre o lugar-comum pra estabelecer formas fixas. Empreguei lugares-comuns propositadamente. Bem entendido: se trata de lugares-comuns modismos brasileiros expressionais, e não lugares-comuns universais, frios polares, amores ardentes e por aí.

UM POETA ARLEQUINAL — MINIBIOGRAFIA DE MÁRIO DE ANDRADE

José Almeida Júnior

Juventude

Mário Raul de Moraes Andrade nasceu na cidade de São Paulo em 9 de outubro de 1893. Filho de Maria Luísa de Almeida Leite Moraes de Andrade e Carlos Augusto de Andrade, Mário tinha origem mestiça. As avós materna e paterna eram negras. O escritor tinha consciência da sua origem, pois retratava a miscigenação do povo brasileiro em sua obra. Na maturidade, recusou diversos convites para fazer conferências nos Estados Unidos em razão da discriminação racial norte-americana ostensiva.

Dois irmãos de Mário de Andrade morreram na primeira infância: uma menina com sete dias de vida e um menino com oito meses. O escritor conviveu com os irmãos Carlos, Renato e Maria de Lourdes. Em 1913, Renato faleceu aos quatorze anos de idade depois de bater a cabeça no chão jogando futebol. Mário entrou em depressão profunda, o que o levou a desistir de ser concertista.

A formação de Mário de Andrade foi essencialmente católica. A partir de 1904, começou a estudar no Ginásio de Nossa Senhora do Carmo.

No ano de 1911, entrou para o Conservatório Dramático e Musical. Em 1913, começou a trabalhar no mesmo local como professor auxiliar de Piano e de Solfejo.

Antes do modernismo

O pai de Mário de Andrade morreu de infarto em fevereiro de 1917, a três dias do Carnaval. De luto, o poeta não pôde usar a sua roupa de pierrô, costurada pela sua tia Nhanhã. Um mês depois, ainda de luto, Mário compareceu às conferências sobre Machado de Assis proferidas pelo advogado Alfredo Pujol, um dos maiores estudiosos da obra machadiana no período.

Mário acompanhou a Primeira Guerra Mundial pelos jornais. O jovem poeta começou a escrever poemas entre março e abril de 1917 a respeito do conflito. Publicado no mesmo ano pela Pocai & Cia, em edição custeada pelo escritor, *Há uma gota de sangue em cada poema* é um livro convencional, sem grandes pretensões literárias. O poeta usou o pseudônimo de Mário Sobral. Embora usasse versos livres em alguns poemas, estava longe da revolução que viria em 1922 com a publicação de *Pauliceia desvairada*.

A Exposição de Pintura Moderna Anita Malfatti em dezembro de 1917 causou frisson no meio cultural paulista. As telas de Malfatti renderam críticas de Monteiro Lobato, que combatia as escolas de arte vanguardistas da Europa. Mário de Andrade compareceu à exposição e se apresentou a Anita como o poeta Mário Sobral. Depois escreveu um soneto em homenagem à pintura *O homem amarelo*.

No mesmo ano, Mário se aproximou de Oswald de Andrade, amigo de longa data do seu irmão Carlos. O encontro de Mário, Oswald e Anita Malfatti despertou a ânsia de inovação e o desejo de rompimento com a arte tradicional, que iria culminar na Semana de Arte Moderna de 1922.

Um poeta Moderno

Mário de Andrade foi um dos organizadores da Semana de Arte Moderna de 1922, no Theatro Municipal de São Paulo. Na segunda noite do evento, Menotti Del Picchia apresentou Mário de Andrade como o maior poeta de São Paulo. Mário recitou os poemas "Inspiração" e "Domingo" do ainda inédito *Pauliceia desvairada*. No saguão do teatro, o poeta ainda leu trechos do livro de ensaios *A escrava que não é Isaura*.

Pauliceia desvairada só seria publicado em julho de 1922 pela Casa Mayença. Foi considerado o primeiro livro modernista brasileiro, com os seus versos livres e uso de uma linguagem brasileira, rompendo com o parnasianismo então predominante. A presença de onomatopeias e neologismos também dão um caráter inovador à obra.

Mário fundou, junto a Oswald de Andrade, Guilherme de Almeida e outros apoiadores, a *Klaxon*, nome de uma buzina de automóvel. Sérgio Buarque de Holanda passou a representar a revista no Rio de Janeiro. *Klaxon* iria divulgar a produção dos autores modernistas e repercutiria os efeitos da Semana de Arte Moderna. Depois de perder o patrocínio das primeiras edições, com irreverência, a revista recomendou aos leitores que não comessem chocolates Lacta nem bebessem guaraná.

Tarsila do Amaral retornou da Europa em junho de 1922 e se juntou aos modernistas. Ela, Anita Malfatti, Mário, Oswald e Menotti Del Picchia formaram o chamado *Grupo dos Cinco*. Ainda casada, Tarsila começou a se envolver com Oswald. O grupo conviveu intensamente por seis meses. Em dezembro de 1922, Tarsila retornou para Europa. Oswald viajou em seguida para acompanhá-la.

Em agosto de 1923, Anita Malfatti embarcou para Paris. Ela escreveu uma carta a Mário de Andrade se declarando para ele. Logo se arrependeu, enviando outra missiva pedindo desculpas pelo sentimentalismo. A pintora disse que cometeu "um crime de lesa-amizade".

Viajando pelo Brasil

Mário de Andrade tinha um profundo desejo de conhecer o Brasil, por isso mesmo nunca deixou o país. Oswald e Paulo Prado costumavam desdenhar do autor de *Pauliceia desvairada* por não ter visitado a Europa. Mário tinha o projeto de explorar a Amazônia e o Nordeste.

Após escrever as primeiras versões de *Macunaíma* durante as suas férias na fazenda Santa Isabel, em 1927, Mário de Andrade recebeu o convite da amiga dona Olívia para conhecer a Amazônia. Em um barco a vapor, Mário de Andrade viajou por três meses do Rio de Janeiro até Manaus, com paradas em cidades do Nordeste. Depois foi até a fronteira com Peru e Bolívia. Durante a viagem, conheceu lendas, músicas e danças. Fez anotações e tirou fotos com a sua Kodak, que foram essenciais para a conclusão de *Macunaíma*.

No ano seguinte, Mário de Andrade programou uma viagem de barco para o Nordeste. A primeira parada foi em Salvador, onde visitou o centro histórico. Em Maceió, foi recebido por Jorge de Lima e José Lins do Rego. No Recife, encontrou-se com Manuel Bandeira e Gilberto Freyre. Em Natal, finalmente, Câmara Cascudo, com quem Mário trocava correspondências sobre o folclore nordestino.

Mário de Andrade passou mais de um mês no Rio Grande do Norte, onde também conheceu cidades do interior. O autor de *Pauliceia desvairada* ficou encantado com as belezas do estado e com o suco de caju. De carro, foi a João Pessoa — à época Parahyba —, onde conheceu José Américo de Almeida.

Câmara Cascudo e Mário de Andrade continuaram trocando correspondência pelos anos seguintes. Nem mesmo o fato de o folclorista potiguar se tornar líder regional da Ação Integralista Brasileira, partido fascista brasileiro a que Mário tinha ojeriza, foi capaz de abalar a amizade entre os dois. O então governador Juvenal Lamartine chegou a prometer a doação de uma casa de praia de Areia Preta para Mário, mas a Revolução de 1930 depôs o político, que precisou se exilar na França, antes de quitar o imóvel.

Nos anos 1940, quando já tinha uma carreira consagrada, Mário de Andrade recebeu convites para fazer conferências nos Estados Unidos e na Argentina. Recusou todas as propostas. O que ele mais desejava era retornar para o Nordeste, mas, por problemas financeiros ou de disponibilidade de tempo, não conseguiu retornar.

Enquanto fazia novas amizades pelo Brasil, Mário começava a se afastar da turma da Semana de Arte Moderna de 1922. Depois que publicou o texto "Miss Macunaíma" na *Revista de Antropofagia*, com insinuações a respeito da sexualidade do autor de *Pauliceia*, Mário rompeu definitivamente a amizade com Oswald.

O Homem da cultura

Em maio de 1935, o prefeito de São Paulo Fábio Prado nomeou Mário de Andrade como diretor do recém-criado Departamento Municipal de Cultura e Recreação. Responsável pela pasta, promoveu diversas medidas de promoção e fomento da cultura: fundou a Biblioteca Infantil idealizada pela professora Lenyra Fraccaroli; iniciou o projeto Biblioteca Circulante, com livros à disposição do público em um furgão estacionado na Praça da República; expandiu a Biblioteca Municipal, que hoje leva o seu nome; promoveu apresentações gratuitas de música clássica no Theatro Municipal.

A convite do ministro Gustavo Capanema, intermediado por Carlos Drummond, Mário preparou o anteprojeto do Serviço do Patrimônio Histórico e Artístico Nacional — SPHAN, atualmente IPHAN. O trabalho de Mário foi essencial para a compreensão da importância de se conservar o patrimônio histórico e cultural do Brasil.

Mário de Andrade financiou, por intermédio do Departamento Municipal de Cultura, os estudos antropológicos de Claude Lévi-Strauss e Dina Dreyfus em Mato Grosso. Posteriormente, eles fundariam da Sociedade de Etnografia e Folclore, a primeira iniciativa do gênero no país. Mário foi o presidente da entidade.

Depois do golpe do Estado Novo de 1937, o prefeito Fábio Prado passou a sofrer perseguições políticas, consequentemente Mário foi atingido. O Departamento de Cultura foi alvo de auditoria e acusações de malversação com o dinheiro público, fatos nunca comprovados.

Mário decidiu mudar para o Rio de Janeiro em 1938, onde foi trabalhar no Instituto Nacional do Livro e como professor no Instituto de Artes da Universidade do Distrito Federal. Na capital do país, encontrava-se frequentemente com Moacir Werneck de Castro, Carlos Lacerda, Vinícius de Moraes, Manuel Bandeira e Carlos Drummond. Todos tratavam o autor de *Macunaíma* com deferência.

Em junho de 1939, Mário foi designado por Capanema para integrar a comissão para os eventos de comemoração do centenário de Machado de Assis. As homenagens ao autor de *Dom Casmurro* incluíram: a filmagem do conto *Apólogo*, com uma introdução biográfica; moeda e selo com a imagem do escritor; publicação da obra completa pelo Instituto Nacional do Livro; criação do prêmio literário Machado de Assis.

A campanha fomentada pelo Estado Novo, com a ajuda de Mário de Andrade, foi exitosa, pois Machado de Assis, que tinha entrado no ostracismo com a ascensão dos modernistas, foi elevado à categoria de grande escritor nacional. No mesmo ano, Mário de Andrade publicou o texto no *Diário de Notícias* afirmando que, apesar de ter uma enorme admiração por Machado, não era capaz de amá-lo e não o desejaria para o seu convívio.

Últimos passos

Mário de Andrade retornou à cidade de São Paulo em 1941, assumindo a função de assistente técnico do SPHAN. Embora continuasse proferindo conferências e escrevendo literatura e ensaios, a saúde do poeta começava a dar sinais de cansaço. O médico diagnosticou uma úlcera no duodeno.

Nos últimos anos se aproximou de Antônio Candido. O crítico e a sua noiva Gilda realizaram o casamento civil na casa de Mário de Andrade para preservar a saúde do escritor.

Mesmo com a saúde frágil, participou do I Congresso Brasileiro de Escritores em São Paulo. Era a primeira grande manifestação de intelectuais contra o autoritarismo do Estado Novo. Compareceram ao evento Jorge Amado, Caio Prado Júnior, Astrojildo Pereira, Eneida de Moraes, Murilo Rubião, Sérgio Buarque de Holanda, Aníbal Machado, Lúcia Miguel Pereira, Vinicius de Moraes, Carlos Lacerda, entre outros. Como conclusão, o evento divulgou uma declaração de princípios defendendo a liberdade de expressão, as eleições com voto universal e secreto e a soberania popular.

Na manhã do domingo de 25 de fevereiro de 1945, Mário de Andrade sentiu uma forte dor no peito. O médico atendeu o escritor e saiu no horário do almoço. À noite, depois de uma xícara de chá e um cigarro, Mário sentiu mais uma dor no peito. Dessa vez não resistiu. Aos 51 anos, Mário de Andrade morreu de infarto.

Poeta, romancista, cronista, ensaísta, contista, músico, folclorista, professor, protetor do patrimônio histórico, funcionário público, Mário de Andrade foi um personagem essencial para a formação da cultura brasileira. Além de tudo, para usar a expressão do prefácio de *Pauliceia desvairada*, Mário foi um personagem "interessantíssimo", cultivando amizades com os grandes intelectuais brasileiros do século XX.

Obras publicadas:

Há uma Gota de Sangue em Cada Poema (1917)
Pauliceia Desvairada (1922)
A Escrava que não é Isaura (1925)
Primeiro Andar (1926)
Losango Cáqui (1926)
Amar, Verbo Intransitivo (1927)
Clã do Jabuti (1927)
Macunaíma (1928)
Ensaio sobre Música Brasileira (1928)
Compêndio de História de Música (1929)
Remate de Males (1930)
Belasarte (1934)
O Aleijadinho de Álvares de Azevedo (1935)
Lasar Segall (1935)
Poesias (1941)
O Movimento Modernista (1942)
O Baile das Quatro Artes (1943)
Os filhos da Candinha (1943)
O Empalhador de Passarinhos (1944)
Lira Paulistana (1946)
O Carro da Miséria (1946)
Contos Novos (1947)
Poesias Completas (1955)
O Turista Aprendiz (1977)
O Banquete (1978).

ASSINE NOSSA NEWSLETTER E RECEBA INFORMAÇÕES DE TODOS OS LANÇAMENTOS

www.faroeditorial.com.br

CAMPANHA

Há um grande número de portadores do vírus HIV e de hepatite que não se trata. Gratuito e sigiloso, fazer o teste de HIV e hepatite é mais rápido do que ler um livro. FAÇA O TESTE. NÃO FIQUE NA DÚVIDA!

ESTA OBRA FOI IMPRESSA EM OUTUBRO DE 2021